故郷恋恋《ふるさとれんれん》

鈴木康之 エッセイ集

鉱脈社

「新聞の新聞」の夢忘じがたく――『故郷恋恋』発刊に寄せて

元宮崎日日新聞社専務取締役　三　好　正　二

「心を以《もっ》て字無きの書を読むべし」。人生の指南書とされる佐藤一斎の『言志四録《げんししろく》』には文字だけにとらわれることなく、字の無い本、つまり実社会の現象にこそ学ぶべき、と記されている。この一文からすぐに姿が浮かんだのは、健筆を振い続ける古武士然とした鈴木康之さんだ。

一斎のいう「字無き書を読むべし」とは「書くからには事象を知るだけでは足りない。出来事の真相や深層をつかみ、影響を予想し、将来の展開まで想像しなければならない」と解説にあった。鋭い観察に加え、そこから何を読み解くかが問われる、というわけだ。活字を愛する鈴木さんの文章はその長短にかかわらず常に読み解く力を秘めており、読む者に説得力をもって迫ってくるように思う。

鈴木さんが日々つづってきた文章は社会の出来事をはじめ、政治、経済、世界情勢など各分野に及ぶ評論やエッセイで、文末には趣味の俳句が華を添える。それらに長年接し、読み手としての感想を返したつもりだったが、その内容たるや鈴木さんの重厚な中身に比べ薄っぺらなものにとどまったことは言うまでもない。

鈴木さんは就職に際し、全国紙の記者を志したことがあったという。しかし、夢は途中から単なる記者ではなく「新聞の新聞」をつくることに変わる。「新聞の新聞」とは新聞の上を行く新聞を目指すのだから現状の新聞に飽き足らないことが理由だと思う。日本を代表する大手化学会社の旭化成で労働組合の役員も経験、会社の要職をこなし、同社の関連会社トップなどを勤め上げた。その間に既存のメディアが持ち合わせない市民感覚を信条とする理想の新聞創出の必要性にかられたらしい。

夢は体調を崩して潰えたが、折しも新しいメディアが生まれ、自らの考えを世に問うことが出来る時代になった。鈴木さんは退職して帰郷後、「日本インターネット新聞」の市民記者となり、コラムを執筆した。六十八歳から始めて六年間に二百十七本を書いた。世界の情勢から全国、地元ニュースまで幅広く話題を追った。その集大成は『芋幹《いもがら》木刀《ぼくと》』の一冊に収めた。そこには鈴木さんのジャーナリスティックな感性や独自の視点、知見を読み取ることができる。

質実剛健の風情ながら何でも興味を示し、頭脳もしなやかな人だ。同年代の多くが敬遠していたパソコンをたくみに操る。情報収集力もプロが舌を巻くくらいの情熱だ。国内外のニュースを分析するために、話題の本はいち早く手に取り、テレビの討論番組にもよく耳を傾けている。新聞各紙は社説までくまなく目を通し、発信記事では各紙の社説の見出しを並べ、「読み比べ」によって各紙の違いを分析する。北朝鮮問題、米中露の覇権争いなど激動する国内外において「鈴木時評」は各紙の価値感までも映し出す鏡であり、記事そのものは二十年を経た今日も鮮度や輝きを失っていない。夢の完成形ではないにせよ、これこそ「新聞の新聞」の具現だろう。

句の世界では故金子兜太氏が主宰した俳句結社「海程」同人。古き良きものを現代に生かすという思想に共感した。宮崎市青島に兜太氏の句碑を建立した際は世話人のひとりとなった。そういえば、風貌がよく似ている。

「産土の兜太は不死身荒凡夫」。この兜太門弟は持ち前の語彙力で色や香りを帯びた句を鮮やかに紡ぎ、国際政治も詠む。「底紅や大韓海峡波高し」。本人は俳句でもやってみるかの「デモ・シカ俳句」と謙遜するが、どうしてどうして。「子燕の口五つ少子化はせず」。現代俳句協会幹事などを務めた亡兄寛之氏につながるＤＮＡは明瞭である。宮崎市の文芸賞も受けた実力派だ。

鈴木さんが執筆活動に専念し始めたのは帰郷後のこと。平成五年に発足した「みやざきエッセイスト・クラブ」に名を連ねたころと重なる。エッセイの切り口は多彩で、郷土の歌人若山牧水からコンビニや地球温暖化まで本人の足跡のごとくウイングは広く、現職中の貴重な経験や体験による多層な知に裏打ちされた作品は実に興味深い。友人、知人らを思いやる文もあれば、鋭い洞察力で迫る中央政府、地方政府に対する核心を突いた記事も読ませる。

自らの思いを日々、書き連ねるには決意と並々ならぬ情熱が要る。齢を重ねてもなお旺盛な筆力を保ち、それらを束ねた「故郷恋恋」の上梓にこぎ着けられた。題名は鈴木さんが生まれ育った宮崎県への強力な郷土愛によることは言うまでもない。優れたコンテンツを満載した上での出版はおいそれと真似の出来ない偉業であり、その達成には大いに感服すると同時に敬意を表してやまない。

時代をひも解き、生きる知恵を提供した佐藤一斎の『言志四録』には吉田松陰や坂本竜馬、伊藤博文ら多くの幕末維新の志士たちが心酔し、幕末のバイブルになったという。鈴木さんが世の中を的確に鋭く読み解いて来た評論やエッセイは、その折々に私たち、昭和、平成の人間が学び、大いに刺激を受けてきた。今度は令和の人々にとって『故郷恋恋』が世界観や人生観を養う大事な羅針盤の役目を果たすことだろう。

令和二年二月吉日

目次

鈴木康之エッセイ集　故郷恋恋

二の扉　運がよけりゃ

三の扉　壮心已まず

装画　島田宏祐

鈴木康之エッセイ集

故郷恋恋

一の扉

故郷恋々

「ドンゲナットジャロカイ」

（一）

　このほど、人並みというか、今頃というべきか、築六十五年を超える木造の生家を建て替えることができた。感謝！

　住んでみると、郷関を出て、出稼ぎから無事帰還した喜びもあるが、未だに社宅住まいの感覚が抜け切れないでいる。情けなく、この貧乏根性は、何とかならんかねと自問している。

　戦後間もなくして亡くなった父が、戦前、それこそ、朝鮮での出稼ぎから帰って来た年、カイショもんの母の蓄えがあって、当地丸山町に家と土地とを手当てした。その時から、「私」が誕生した。

　外からみると、二十坪ほどの旧家は、すっぽりと庭木に埋もれていた。この家が撤去されると、自分の過去が永遠に失われるのではないかと、にわかに感慨がこみ上げて来て、作業の前に何度か足を運び、パチパチ、全方向から、あるいは中に入って、長火鉢や円いチャブ台のあった神棚付きの四畳半、同じ広さの寝室兼勉強部屋、床の間と仏壇のあった八畳の客間兼寝室など、カメラに収めた。

これと似たような体験をしたことがある。もう三十年も前のこと。長屋社宅のトナリから火が出て丸焼けになった。家内は生まれたばかりの三女を、私は脳血栓で少々ボケ気味の老母を背に、白煙に咽びつつ、手探りで何とか脱出した。

翌日、焼けアトを鍬で掘り返していると、家内が「みっともないから、やめてよ」と言う。実は、写真を探していたのだが、幸い古い造りだったので、土壁の下敷きとなって生き残ったものを、何ぼか救出できた。

しかし、赤ん坊の頃とか、国民学校入学時、あるいは大学の時計台前の角帽姿であるとか、己れの成長の過程をほとんど辿ることができない。とたんに、言いようのない寂寞感に襲われ、「ああ、オレは過去をなくした男になった」と自覚した。

それからである。三人の娘たちはもとより知友人には、大事な写真はアルバムなどに貼らず、カンカンに入れておき、いざという時は、とにかくそれだけを持って逃げろ、と啓蒙している。ゆめゆめ、貯金通帳などに執着するのは止めた方がよい。

丸焼けと書いたが、ハナレの母の部屋の片隅においてあった、仏壇だけがどういうわけか焼け残った。

母が、この時とばかり「それみろ」と勝ち誇って、いかに信心が大切かと、何遍もくり返した。爾来、母の形見と思い、転宅ごとに持ち回り、大分くたびれてきたが、繕いながら、建て替えた家の客間にお帰りいただいた。

建て替へし生家が墓標新茶かな　康之

（二）

ところで、父の出自は、幕藩時代、「撞木の町よ」とうたわれた赤江の城ヶ崎である。

昨年七月帰郷して、誰もがすぐやることをやった。俳人墓地を訪れ、旧赤江港のアトらしき所を徘徊、通称タンポリで佇み、父が入会権があると主張していた、大淀川河口に浮かぶ夕映えの丸島（ヘビ島）に見入った。

それにしても、城ヶ崎が幕領ではなく、飫肥領であったとは、宮崎原人を自負する私としては、全くウカツであった。

大淀川は、古くは赤江川と呼ばれ、縄文海進期（今から一万年前）が過ぎると、平和台下の下北方から花ヶ島にかけて、さらに南へとその流れを変えて来た。かつての弦月湖、江平池は、その河跡湖とのこと（田代学著『消えた赤江川』）

年が明けた二月のはじめ、高鍋の仮寓で、たまたま、ＮＨＫテレビ「ヒマラヤ・氷河湖決壊する」を見た。映像には説得力がある。

「コリャ、ドンゲナットジャロカイ」

地球の屋根にある氷河が、ものすごいスピードで、溶け出しているではないか。ダムの役割を果たしている氷河湖は、今にも決壊しそうで、下流の住民のオノノキが伝わって来る。

地球環境プロブレムが、公論になって久しい。氷が溶けるのは、炭酸ガスの増加による地球温暖化のせいで、ヒマラヤの場合も否定できない。そうではないと主張する人があれば、この場合は、その人に挙証責任があると思う。

となると、北極や南極の氷も溶けて……地球は今、アトは言わずと知れた縄文海進の再現となるは道理。すると、只今普請中の丸山町の家の運命は。

あわてて、荷造りのままにしていた段ボールをひっくり返し、ローマ・クラブの『成長の限界』をとり出した。

氷河溶け縄文海進住むは蛸　　康之

そうなると、私としては非常に困る。さはさりながら、学者の計算ではまだまだ大分先の話。まあ、そこまでペシミストにならんと「ナントカナルジャロ」。

（三）

――人類の危機　とサブタイトルのつく『成長の限界』は、日本では、昭和四十七年に出版され、折からの第一次オイルショックとも重なり、人々に衝撃を与え、かつ重大な問題提起となった。同書の核心は次の通り。

「報告された研究の基礎となっている五大要素――人口、食糧生産、工業化、汚染および再生不可能な天然資源の消費――はすべて増大しつつある。それらの毎年の増加は、数学者たちが幾何級数的成長と呼ぶパターンに従っている」

「その結果、地球環境は、許容範囲を超えて汚染されることになるから、思い切ってゼロ成長に移行するしかない」

この幾何級数的成長とは、復利のこと。これがキーワード。その倍増期間は、七％の金利（または成長率）で、元利合計十年である。ゼロ金利が恨めしい。

成長の限界論に対しては、もちろん、有力な反対論が存在する。曰く「人類の歴史が、復元力、成長力を実証している。われわれは、人類の知性をもっと信じてよい」。知性とは、人類のコンセンサスと技術革新への、あくなき期待ということになろうか。しかし、問題はそれほど単純ではない。

まず、「人類」とは誰のことか。

オリンピックをみれば分かる。地球には、大小二百ほどの国があって、人種・民族は多岐に分かれ、世界の言語数は六千種とも。それに、三大宗教とその亜流が、モザイク模様に入り込んでいる。「文明の衝突から対話へ」の理想論には程遠いのが現実。

今日でも、世界の紛争地域は、少なくとも四十カ所以上を数える。

ことほどさように、宇宙船地球号のキャビンの中は、一筋縄ではいかんのだ。こうなると、徳川三百年の平和な時代が偲ばれる。

かくて、新世紀は、ボーダレスの時代というより、成長に限界があればあるほど、ボーダフルなベクトルが働くと思わざるを得ない。というわけで、大体、この辺で思考停止に至るのが、凡人のアサハカサ。にわかに、解がみつからない、処方箋が書けないもどかしさに堪えかねるからだ。

昨年六月、敬虔な仏教徒で、親鸞の研究家としても知られた、故井上信一さん（元宮銀頭取）に離京のご挨拶に伺った。井上さんは、熱心なゼロ成長主義者である。私も圧倒されて、危うく折伏されそうになった。

つまるところ、地球人類の将来について、悲観論と楽観論がある。平たく言い換えると「ハルマゲドン」か「心配ご無用」かということ。

あんまり、前者を言いつのると、省エネやリサイクル運動が盛んになることは歓迎だが、人々が活力を失い、またゾロ麻原被告みたいな人物が輩出しそうだし、さればとて、後者が勢いを得ると、公共事業が増えて、さし当たり、わが宮崎県の地域経済をうるおすが、その代わり、国（＝国民）の借金はタレ流されることになる。

行きつ、戻りつ、「どうしよう、困っちゃうな」というのが、大方の民意ではないか。

ただ、客観的事実として、紀元は二千六百年、古今東西。われわれ日本人は、自由にして民主的な「国体」――世界でせいぜい二十カ国ぐらいか――で、マクロ的にみれば、物質的には、今なお世界のトップ・レベルにあって日々の生活を楽しんでいる（ように見える）。

それで、精神的にも、個々の日本人が、本当に幸せかどうかは、ＧＤＰの指標とは、ほとんど無関係と思うようになった。

遠雷や烈士の気分ミレニアム　　康之

分かっちゃいるけど止められない

先輩に帰郷の挨拶に行って、宮崎の生家を建て替えている話をしたら、「気を付けたらいいよ。家を作ったとたんに、ほっかりして病気に倒れた人の話をよく聞くから」

案の定、その通りになるところであった。

昨年の三月お彼岸のころ、親しい連中とゴルフをやり、その夜は臼杵の老舗で「フグづくし」とやらを堪能してつい飲み過ぎたかなと思ったが、連中がマージャンを始めたので、私はもう何年も休牌していて自分ではやらず観戦。午前さまになった。

降圧剤を飲みだして十五、六年たつが、だんだんいい加減になってきて、薬さえ飲んでおれば大丈夫。薬が一切を免罪する護符みたいになった。慣れとは恐ろしい。

世の中にはお酒を飲まず、飲めず、それでいてちゃんと営業をしている人がいる。また、友人と楽しく交際している人はいっぱいいるから、「付き合いで仕方がないのよ」と言うのは、誰でも思い当たる自己合理化の最たる言い訳。要するにお酒に対して「いやしい」のだ。高血圧の持病もちなのに「意志薄弱」なのだと自分では分かっているつもりだが、止められない。

ここ二週間ぐらいの間アチコチ飲会があり、調子に乗り過ぎたなあと思って何気なく脈をとってみると、何と脈が乱れ打ちしているではないか。今までもこういったことがあって、知らぬうちに元に戻っていたかも知れないが、自覚したのははじめてのこと。

ちょうど、小渕さんが緊急入院して、日ごろ不整脈があって、ひょっとしたら血栓が脳に詰まったのかもと言う医者のコメントをテレビで聞いて動転。幸い月一回の医大行きがあったので、先生に自訴したところ、早速入院しなさいということになった。

それから、まるまる一カ月。例によって種々検査の結果、この心房細動は虚血性心疾患からくるものではないとの診断（ということは、老化現象？）。脈は電気ショック療法が功を奏し正常化して事なきを得た。

大きい病院には、たいがいどこでもキヨスクがある。そこに「心の糧」という小冊子がおかれていて、手にとると仏教振興財団理事長、故井上信一さんの「二つの気付き」というエッセイが巻頭にあった。井上さんはご承知の方も多いと思うが、元宮崎銀行頭取で、敬虔な仏教徒であり、親鸞の研究家としても知られる。宮崎経済同友会というのがあって、井上さんが代表幹事、私が副を務めたこともある間柄である。

「二つの気付き」とは、「生かされていることに気付く（アリガタイ）、そのことに気付かない自分に気付く（スマナイ）」こととある。

井上さんはまた、昨今地球環境問題にも大変関心を寄せられ、私が離京のご挨拶にお伺いした時も0成長論を力説しておられた。その時は私が未だ企業人であったことも手伝って、御説を素直に受け入れるわけにはいかなかった。

しかし、こうして入院を余儀なくされ、ご同類さまと塩気のない病院食を共にし、病室から日々緑の色を濃くしていく自然の営みに親しみ、二十四時間心電図をぶらさげ構内を散歩すると小振りのつつじが真っ赤に咲き誇っているのに出会う。

そして少し行くと定時後の医大生が、柔剣道に弓、テニス、サッカー、野球などに汗を流し、こうした躍動する若者の姿に接していると、来し方行く末に思いを巡らすようになる。こうなるともういけない。井上さんの世界にどっぷりはまり、「二つの気付き」を自覚するようになった。単純といえば単純、人並みといえば人並み、かえりみて苦笑を禁じえない。

「来し方」を辿ると、私たち「昭和の子ども」はわずかこの半世紀の間に、戦争、敗戦、復興、高度成長で欧米に追いつき、バブルとその崩壊と凝縮された時代に生きてきた。銃後の民ではあったが片足戦中派に属する。

懐旧談はさておき、問題は「行く末」の方である。一口に0成長（現状維持）というが国際競争の時代には容易ではない。それなりにエネルギーのいる仕事だ。0とは衰退するものと成長するものがちょうどプラス、マイナス0ということだから、これがうまくバランスしないとヒズミが生じることになる。

そこで改革野郎の小泉さんが突然現れ、「構造改革なき景気回復は有り得ない」とのたまい、どうやらこの度は有権者の圧倒的な支持を獲得された。ちょっと前までは、いままでは守旧派に成り下がった人たちが「国債を増発しても景気回復優先」とがなり立てていた。また、いつの、どこの世論調査でも第一位は「景気対策」への期待となっている。共産党も「消費税を軽減して消費拡大を」と主張している。要するに、世は挙げて「景気回復」の大合唱というわけである。

「景気回復」とは、一言でいえば、経済成長つまりＧＤＰ（国内総生産）を太らせ、昔のように皆でそのパイの配分に与ろうという話。私もついこの間まで会社人間として声高な合唱隊の一人だった。

しかし、景気が回復すれば資源をさらに費消し、いうところの地球環境に負の作用を及ぼすことはほぼ明らかである。ほぼと言ったのは「技術革新によって浪費なき持続的成長が可能である」とする説があるからで、仮に可能だとして、そうなるのは何時からか、それまでどうするのかについて答えねばならぬだろう。

世界人口の爆発は避けがたく（日本は少子化）、各国がそれぞれ「従来型」の経済成長政策を続ければ地球はいずれ破綻するというのが、世界の科学者、知識人のコンセンサスと言ってよい。国際的な場で繰り返し警告もなされてきている。今年、環境庁が省に昇格してはじめての「環境白書」も「人類はすでに一九七〇年代、地球における資源の再生能力、環境の汚染浄化能力を失った」とする資料を紹介している。

にも拘わらずである。環境問題が一向に上位の概念とはなり得ず、米国でも、中国でも、ロシアでも、その他途上国でも、わが国はもちろん、環境に配慮はしても未だGDP至上主義だ。欧州は少しニュアンスを異にするが。

お酒と同じで、「分かっちゃいるけど止められない」のだ。

どうも世の中、経済は経済、環境は環境と切り離して論じられているように思う。これは、政府だけでなく、マスコミの姿勢も同様である。環境省は「環の国づくり」を目指すという。政府は一体「景気回復」と「環の国づくり」の整合性ないし折り合いをどうつけるつもりなのか。いまや人気絶頂の小泉さんに是非聞いてみたいところだ。

私は、大多数の日本人は、いわゆる知識人に限らず、恐らく事柄の本質について分かっているはずだと密かに睨んでいる。しかし、誰も何も言わない。皆さんズルイんだから。「景気回復」が葵の紋というわけだ。自己合理化の論理は「まだ大分先の話よ」か「誰かが、何かがいずれ解決してくれるはず」と信じているかである。いや信じ込もうとしている。さしたる裏付けもなくである。これは、まるで砂漠の中の駝鳥そっくりではないか。駝鳥は危険が迫ると頭を砂に突っ込んで目を塞ぎ、尻隠さずの姿勢をとるという。

ここに来てどうもかの有名な「茹で蛙」の話や「蓮の葉のクイズ」の話が現実味を帯びてきたように思える。もはや手遅れなんだろうか。

⇓「茹で蛙」の話

少しずつ温めていくと、慣れもあって蛙は茹で上がるまで気がつかない。

⇓「蓮の葉のクイズ」の話

蓮が池全体を覆ってしまうと、魚は窒息死する。葉の面積は日ごとに二倍となり、三十日目に全体を覆ってしまう。この場合、池の面積が半分覆われるのは何日目になるか。

経済政策と地球環境との整合性を求めれば、わが国が現在不況であるのはかえって好ましく、少子化は人口が減って大いに結構。わが国は世界に冠たる環境先進国ということになりかねない。しかし、正直こう言い切るには相当な勇気がいる。にわかに、「成長」に代わる価値を共有できないからだ。

環境先進国といえば、江戸時代がモデルになるかもしれない。「鎖国という閉ざされた系の中で——実は地球もそうだが——抑制された哲学のもとで三百年の平和を維持したシステム、リサイクル社会でもあった」として「世界は江戸化する」と初めて言ったのは、確か入江隆則氏である（一九九〇年『グローバル・ヘレニズムの出現』日本教文社）。

わが国は、それこそ縄文以来八百万の神がおわしまして、万物に霊が宿り、自然への畏敬の念も深い。また、井上信一さんの帰依されている「他力本願」の教えも広く普及している。私たちは確かに生かされていると思う。

バブルのころ、テレビで新宿の歌舞伎町界隈に屯する野良猫が、糖尿病にかかって目が不自由となりウロウロする姿を見た。私たち日本人は日々膨大な残飯を捨てている。そうしておいて、何でもいいからもっと消費しろ、貯金を下ろして株を買え、それ景気拡大だとする言説は0成長論はさておいてもやっぱりおかしいのではないか。米国が先に地球温暖化防止のための京都議定書を離脱したことは、極めて不遜である。ブッシュさんは、井上さんの爪のアカでも煎じて飲んだらよかろう。

故井上信一さんにこの一文を捧げる。

合掌

瑠璃子

瑠璃子は身体障害者であった。障害名は「右大腿上三分の一切断」、障害の程度は法令で定めているところでは「肢体不自由の区分で三級」に該当する。瑠璃子の父が残した記録（「足痕」）がある。

「大正十三年十二月、長女瑠璃子（五歳）が不慮の事故で両脚に大火傷を負い、応急手当を受けた後、朝鮮総督府病院皮膚科に入院、度々重態に陥ったが心臓が強かったため危機を脱した。退院後も約十カ年に亘り加療せしも全治に至らず、昭和十一年黄海道沙里院公立高女在学中夏季休暇を利用し、京城帝大に入院し、右脚大腿部を切断、義足。昭和十五年三月同女学校を卒業。卒業後タイプ並びに洋裁を修業」

瑠璃子の両親は教職者で、母はこの手術の前の年に三十七歳で病死している。瑠璃子の事故に対する母親としての自責の念と介護の心労が重なったという。

瑠璃子の母は実は私の母の妹で、この時私は数えで二歳になったばかりであったが、看病とその後の葬儀のため母と関釜連絡船で海を渡っている。もちろん記憶はない。私の母はよく「船でお前が梨を食べ過ぎてお腹をこわしてね」と昔話を聞かせてくれた。

戦後、瑠璃子が引き揚げて来て一時私の生家に寄留していたことがある。私の家は四畳半が二間、八畳一間、それに玄関の二畳といった住いで、私と兄に両親と四人暮らしであったが、父が長い間寝込んでおり、空襲で被災した父の姉も身を寄せていた。加えて次兄一家四人が満州の安東から引き揚げて来たので、瑠璃子を入れて総勢十人にもなった。

半世紀余り経ってこのうち生存しているのは、嫂とその子である姪それに私。

瑠璃子の父の「足痕」によると引揚げの状況は次のような有様であった。

「翌二十一年、北鮮の山野を埋めし雪も消え、若草漸く萌え出でんとする四月四日、警戒の緩みに乗じ、家族と共に脱出を敢行、八十キロ余の山野を跋渉、死線を彷徨しつつ、八日未明暗夜を利して蘇連の警戒線を潜って魔の三十八度線を無事突破、着のみ着のまま全く一物を携えず、京城、釜山を経て、体だけで同十二日博多港に上陸の上、一路故郷に帰還した」とある。

あの当時の引揚者の苦労は誰しも経験したことだが、瑠璃子が障害者であった分だけ大変だったに違いない。瑠璃子二十五歳の時である。後日談として、瑠璃子の義足に詰め込んだお札だけが助かったと聞いたことがある。


瑠璃子が昨年九月十一日早朝、市民の森病院で静かに息を引き取った。享年八十歳であった。この日は遅くなってあのニューヨークの自爆テロが起こっている。

死亡原因は子宮ガンによる病死、脳梗塞の後遺症があった。

三月の末、脳梗塞で倒れ入院してお腹の手術が先送りになったことが命を縮めたように思う。入院してしばらく経ってから、瑠璃子が日頃お世話になっていた「カリタスの園」のシスターさんから電話を頂いた。「本人がどこにも連絡してくれるな言うので、お宅のことを聞き出すのに時間が掛かりました」。

週に一回、家内共々見舞いに行くと、こちらの言うことに頷き「アリガト」は聞き取れた。

瑠璃子が全く孤独の生活環境になったのは先に父を亡くし、昭和五十一年に義母が逝ってからで二十五年にもなる。その間父方の近い親族も物故するか高齢化して縁遠くなっていたようだ。私は在京中も宮崎出張の機会があると顔を出していたが、彼女の一番の心残りは、終戦の年五月フィリピンで二十一歳の若さで戦死した弟のことだった。

弟の親友だった後藤賢三郎氏の弔辞が残っている。

「謹ミテ故陸軍少尉甲斐智君ノ英霊ニ告グ。君ハ戦局ニ際シ学徒出陣ノ一員トシテ学窓ヲ後ニ勇躍第一線ニ馳セ軍務ニ精励スルコト三星霜、終戦ト共ニ君ガ復員、温顔ニ接スルヲ期待シ居タリシニ、図ラズモ突然訃報ニ接シ、本日茲ニ君ノ霊前ニ弔辞ヲ呈セムト、真ニ感慨無量ノ極ミナリ、天ニ訴ヘ地ニ哭スルモ既ニ空シ、嗚呼悲シイ哉。

抑々、君ハ宮崎中学校ヲ卒業、第三高等学校ニ進ミ、ツヅイテ京都帝国大学ニ籍ヲオクヤ、召サレテ征ク。顧ミレバ君ハ温厚冷静、特ニ事ニ處シテ正義感強ク、学友ノ信望ヲ一身ニ集メ、又学業ニアリテハ頭脳明晰、読書ヲ以テ趣味トナシ何時ノ日カ君ノ大成ヲ確信セシニ、今是ニ君失フ、真ニ長嘆惜別ノ情ニ不堪。慮ウニ御両親ノ御嘆キ慰スルニ言葉出デズ、只々涙ノミ。（以下略）」

この弟の智さんはまた私の憧れの人でもあった。

医師の話から終末の近いことを知らされて正直言って弱った。瑠璃子の父方の事情がさっぱり分からない。市役所の戸籍を手掛かりに探索をはじめたが、結論として頼れる人はいなかった。それでは私の筋もこの際確認をしておこうと新富町の役場に出かけた。

謄本を取ってみて、いやあ驚いた。私と瑠璃子との関係は「いとこ」ではないことが分かった。それによると瑠璃子の母は私の母の妹ではなく母の姉の子とある。もっとも昔のこと、戸籍の記載がすべて正しいとは限らない。何か事情があったのであろうか。瑠璃子も不知だったはず。

図らずも、葬儀一切を取り仕切ることになった。会葬者は私の親戚筋、やっと捜し出した瑠璃子の父の兄の子の嫁の方で大分お年の人。あとはカリタスの園の関係者、福祉ケアの方、それに脚の傷痕が痛む度にお世話になった病院の奥様など二十人そこそこであった。

家内共々瑠璃子の遺品を整理していていろいろなことを思わずにはいられなかった。

子のいない高齢者は一体どんなことになるのだろうか。おそらく国家社会が面倒をみるのであろうが、いかにも味気ない。中国も最近ひとりっ子政策を少し修正したと聞く。

遺品を十把一絡げで廃棄処分されたら堪らんなと思う。一つひとつ丁寧に見てみた。先に亡くなった両親のものもある。前述した記録類は瑠璃子の父のもの。物持ちがよく捨て切れずにあったガラクタも多く、困ったのは手紙や写真類。衣類はカリタスの園に引き取ってもらった。芸事が好きで熱心に打ち込んだ（とアトで知る）謡の本も二絡げもあり、義足も二本あった。整理に三日ほどかかった。

義足は新しい方をお棺に入れようとしたら葬儀屋さんから止められた。禁止されているとのこと。天国にどうして辿り着けるのか心配だ。中学校の教師をしている私の娘が学校の教材にすると言って持って行った。世の中の役に立って瑠璃子も満足かもしれない。

私が慄然として座り込み読み始めたのが、瑠璃子が五十歳の頃から折に触れて書いた日記である。日記はどうしても思い入れが強くなるものだが、書き手が一生身体障害の独身の身で、かつ大正生まれの女性であったことに留意していただきたい。それは凄まじいばかりの心の軌跡が生々しく書き留められている。

瑠璃子は女学校を出てから自活の道を歩み、両親が健在のうちから自立、かなり腕のよい洋裁師であった。読書にも親しみ、日記を見ると数は少ないが短歌や俳句もなかなかセンスもいい。教養人である。その分プライドも高く、晩年は別として公的な福祉支援に厄介になることを拒絶していたようだ。

いずれ瑠璃子の短歌、俳句を綴ってご縁のあった人に送り鎮魂の資としたいと思っている。実のところ、このエッセイを書く動機も同じ思いからである。

瑠璃子はまさか私に日記を読まれるとは思ってもみなかっただろう。これはプライバシーの侵害かもしれない。私は相続権者でもない。しかし、瑠璃子のことを書かねばならぬという衝動を抑えることができなかった。

泣けなくなった女にも春の風

子すずめよ新米少しわけてやる

脚痛めば友植えくるる秋桜

すべってもころんでも青春とは良きもの

口紅をぬってみようか五月晴

電話切ってアジサイひたと見つめおり

夢を見て夢を見て生き春の雷

思わず目頭を熱くしたこんな詩もある。

　ホルマリンの中
焼け爛れた　私の右脚が
ホルマリンの中で　ゆらぐとき
私の愛も　幸せも
やっぱり共にゆらいでいよう
白ロウで固く密封され
とじこめられた幸せが
喜びも　知らず

安定も　知らず
いつまでも　ゆらゆらと
ゆらいでいよう
たとえ　私の生命が失われても
ゆらいで　いよう

日記では幾度となく死に言及し、何度か断食を試みている。しかしそれは本当の瑠璃子ではなかったように思う。瑠璃子の生涯はハンディをバネとして、前向きに懸命に生き抜いてきた堂々たる人生だった。

阿弥陀堂だより

「綾の川中神社の例祭があっとじゃが、神仏混淆で珍しいよ。奥さんも一緒にどうね」と新制中学以来の友人である竹野哲也君から誘われて、昨年十一月三十日㈯九時過ぎに宮崎の拙宅を彼の運転で出発した。

助手席には私、後ろ座席には彼の奥さんと私の家内で、あいにくの小雨の中を、私が綾に疎開をしていた頃のことやお互いの子どもや孫の話をしながら、はや綾南川に沿った宮崎須木線の県道を進むと、照葉樹林に包まれて綾町が誇る高さ世界一の大吊り橋に出合う。さらにそこから二キロほど上がるとキャンプ場が開け、そこで車を降りた。雨がもやって、せっかくの渓谷美も山水画の趣である。

大吊り橋のミニチュアみたいな一人幅の三十メートルばかりの吊り橋を渡る。この辺にも昔は集落があり棚田や段々畑があったとか。その面影はほとんどみられない。少しずつ登りがきつくなると、竹野君が用意してくれた登山杖が有り難い。

カシ、シイ、ブナなど照葉樹の枯れ落ち葉が厚く弾む。ときに黄色い銀杏も交じる。

明治神宮の参道を想い出した。雨で濡れた坂道は滑りやすく、おまけに曲がりながら勾配がたってきた。ふと竹林が出現して、そうなると他の樹木一切を拒絶して逞しい。杖で左右の竹を叩いて行くと今度は天高くそびえる杉林に入り、なにやら神々しい気分になった。

川中神社はそこにあった。

「十五分ですよ」

竹野夫妻は出立ちからもこれぐらい朝飯前といった感じで、血圧のおかしい私とか膝を痛めている家内は、一言もない。三十分はかかったと思ったが。

「おや、阿弥陀堂が」

「ウ、おうめ婆さんの阿弥陀堂もこんな感じかな」

家内ともども読んだばかりの小説『阿弥陀堂だより』（南木佳士著）を思い出した。

雨が本降りになって、百人ほどの参列者は水溜まりを避け、傘をさして祝詞を聞く。驚いたのはそのアトである。神事が終わり、隣の阿弥陀堂での仏事になった。なんと同じ宮司さんが「般若心経」を読まれ、別の神官さんが笛太鼓に合わせて神楽を舞われた。こちらの方が神社の倍の時間がかかっている。

下の社務所で初穂料を差し上げ、娘に交通安全のお守りを買い求め、直会《なおらい》の席へ。

「神社などの由緒書みたいなものはないとですか」

「さあ、ちょっと待ってください」

ガリバン刷りの「川中神社並びに旧川中嶽西光寺、本尊阿弥陀如来像由緒」——昭和四十七年十一月——を頂戴。

神社境内の総面積は意外と広い。杉植林が約十二町、孟宗竹が約一町五反、梅樹林が一町余、その他雑木林、照葉樹林地帯からは外れる。梅園は戦後神社の財政対策で植えられ、三百本の梅の花は見事と記されている。

囲炉裏で温められたカッポ酒が心地よく腹に沁みる。竹の味わいがよい。竹の皮で包んだ握り飯に干し筍。竹はかつて私たちの生活をしっかり支えていたのだ。

「へー、あんたは同級やったつね。疎開で四カ月しかおらんかったつなら、そら知らんわ」

名刺の裏に名前を書いてもらって顔を見詰めても、さっぱり記憶がない。竹野君も綾に居たことがあり、私のことを話したらしい。先ほどの宮司さんも同級生だった由。

由緒書では、もともと八世紀の奈良時代に猟師の明久という者が、夢のお告げで阿弥陀仏を安置し、西光寺を開基したとある。川中神社は山の神様で、神仏習合の思想のもと、戦国時代、伊東藩主によって勧請創建され、当時は天台宗のところ、島津領になると禅宗に改めたとのこと。また明治の神仏分離の廃仏のときに西光寺は廃寺となり、仏像は岩窟に避難して生き残った。木造阿弥陀如来座像は室町時代の作ともいわれ、県文化財に指定されている。

「昔は前夜祭もあってようけ人が集まり、ランプと篝火の明かりで神楽をやり、笛や太鼓が夜半まで響き賑やかやった」

と先ほどの知らない同級生。

そういえば、参列者に若者や子どもがほとんど見当たらない。私たちみたいな町外の者もいる。例祭日自体が十一月二十八日と決まっていたとのこと、日本の伝統文化がこのようにして亡んでいくのだろうか。ずいぶんと寂しい気分になった。

わが国最大の面積を誇る「綾の照葉樹林」は、前町長郷田実氏が国の伐採計画に抗して立ち上がった結果残され、ただ今「世界遺産」にとの運動が起こっている。

直会でのはじめの挨拶は町長さん、次いで県会議員さん、そしてこの度の選挙で新しく県知事に就任された方だった。

こっくりさん

タイトルは漢字で「狐狗狸」と書く。「一種の占いのしかけ。長さ三十センチほどの竹を三本集めてその中央をくくり、これを鼎足に広げて上に盆をのせ、三人がその周囲にすわって、各自右手の指をその盆の上に置き、中のひとりが祈などをすると盆がひとりでに動き出し、その動き方によって物事を占うという」(『広辞林』)。

敗戦直後、兄とその友人達が夜な夜なわが家でやっていたのは少し違う。紙に階段と鳥居を書いて、確か油揚げに水、塩それに五十音図も置いてあったように思う。

そして一人が真ん中のを目隠しをして握り、あとの二人が介添えして、「こっくりさん、こっくりさんお願いです。○○の好きな人の名前を教えてください」というと神がかりして動きだし、五十音図でたとえば「花子」と指して行くのである。どういうわけか不思議によく当たった。

焦土日本の将来がどんなことになるのか誰にも分からない、一億総絶望の時代である。こっくりさんに限らず占いが流行った。なかんずく、海外で引き揚げ待機中の人々の間で大流行していたという。宜なるかなである。

ただ今も戦後第何次かの占いブームだそうだ。朝学校に行く前の孫たちが、テレビの星座占いの点数を見てワイワイやっているが、これなどは罪がない。ゼロ成長の時代を迎え、いろんな意味で先行き不安、だからお金を使わない。また生産工場は低賃金にひかれて中国などにドンドン移転していく。これでは早々に景気がよくなることは所詮無理。その反面、海外旅行者はテロ事件があろうが、年に千五百万人を下らないから不思議だ。誰があの頃こんな世界一自由で豊かな国（物質的にではあるが）になると占うことが出来ただろうか。

「占い」といえば以前勤めていた会社で、取り引き先の中小企業の社長さんの中には、事業経営の意思決定を占いでなさる方に何度か出会ったことがある。「占いで？冗談でしょう」と思われるかも知れないが、本当のこと。私が親しくしていたある女の社長さんはなかなかの女傑で、お酒にも滅法強い方だった。

この社長さんはまず京都の占い屋さんに行く。そこでのご託宣が気に入らないと、今度は東京の拝み屋さんの所に行く。こうして自分の気に入るまで続けるということだった。社長の最大の資質は「決断すること」と言われるが、この女社長さんは実はすでに決断をしていて、ただその手続きを踏んでいるだけなのだ。この方法は精神衛生上もよろしいのかも。もっとも女社長さんがこれらのことを自覚していたかどうかは知らない。

さらにこの時間をかけた手続きの過程で自問自答、スタッフの意見も聞き、熟慮してよりよい結論に導かれることもままあるだろうから、その限りでは極めて合理的な意思決定方式だと言える。

しかし、この方式は組織が段々大きくなると採用し難くなる。大企業では事案ごとに通常プロジェクトチームが結成され、社長をはじめ関係先とすり合わせ、会議を重ねてつめていく。従って、会社の正式の意思決定の会議は形式的である場合が多い。そういう意味では意思決定のプロセスとしては、「占い屋」に代わるものは「会議」ということができるかも知れない。

長い間サラリーマン生活をしていて、中小企業の社長さんには、これぱっかりはどうしても叶わんなと思ってきたことがある。それは「自分の個人財産一切を事業に賭けている」ということである。だから、オーナーさんは迫力が違う。中小企業の社長さんが神頼み、占い頼りになる気持ちはよく分かる。しかし、決してデタラメをやっているわけではないのだ。そんなことをやったら、一度や二度は旨くいっても、いずれ倒産が待っていることだろう。

私は占いをついぞ信じたことはない。しかし、占いに当たったことはある。上京二年目の正月、故郷宮崎の親友の一人と銀座で一夕食事を共にした。話の内容は忘れて仕舞ったが、何でもそこの店の女将さんが有名な占い師で、座興に姓名判断をしてもらった。

「ああ、あなたのお名前は素晴らしい。強運ですね。社長さんになられますよ」

まあ社長になりたいとは思ってもいなかったが、そう言われると人間酒の席といえまんざら悪い気持ちはしない。商売上手で客のあしらいもさすがは銀座やなあと感心した。

それからちょうど一週間経って、上司の担当役員に呼ばれた。

「キミー、子会社の○○を知ってるかね」

「いや、存じません」

「そうやな、出て来たばっかりやったな」

「はい、何でしょうか」

「この会社の再建を引き受けてくれんかね、社長で」

column

今日の秋

日本人の平均寿命が平均84歳で世界一。男が80歳で世界５位、女が87歳で連続世界一になったそうだ。ちなみに、世界一の長寿者はギネスブックによると日本人男性で111歳とのこと。しかし、高齢者にとっては余り感動的とは言い難い。問題は平均余命のほうだ。現在の私にとってあと何年生きる可能性があるかが問題だからだ。

平均余命は80歳に到達した人で男は約8年半、女は約11年半とのことで、なるほど「終活」という造語が流行るはずだ。６年後の東京オリンピックを目標においている人が多いのも肯ける。もっとも男でも85歳まで生きればさらに６歳長生きが期待できる。ただし、脳の機能が著しく低下しなければとの条件付きではある。マルクス・アウレーリウスは次のように言っている。「長命でも短命でも人が失うものは『現在』だけだ」（自省録）。何やらほっとした気分になる。

故郷恋々

日本インターネット新聞（平成十五年二月創刊、東京都、編集長・社長竹内謙）の私のコラム「芋幹木刀《いもがらぼくと》」に、「イラク邦人人質救出事件」というタイトルで書いたら、すぐ十件の書き込みがあった。

コラムの論旨は「結果論ではあるが、犯人側の要求つまり自衛隊のイラクからの撤退を拒否した上で、三人の人質救出に当たった政府の今次外交努力に対し一定の評価を与えてよいのではないか。人質は犯人側から一方的に解放されたわけではない。日本国と日本国籍を有する国民の総力を結集し、関係先の協力を得て幸運にも救出されたものである」と。

書き込みは、理由はさまざまながら、論旨を非とするもの八件、非とした上で、編集部が「筆者を貶める記述があったため削除しました」というかなりヒドイのが一件（はじめは原文が掲載されていた）、論旨を是とするもの一件。ネット利用人口の片寄りからして、特に驚きはしなかったが、散々であった。

このネット新聞には、永年薫陶を頂いている先輩の勧めもあって「市民記者」に応募し、創刊から十篇ほど寄稿したところで、竹内謙社長から直接電話があり、「あなたの記述は、どうもコラム向きのような気がする。よければ書いてみないか。コラムのタイトルも考えてほしい」との申し出があった。

爾来、寄稿総数約百本（うち一本はボツ）掲載されてきた。字数は二枚半、約千字が原則。未熟ながら週一本のリズムで書いている。もちろん無償である。ネット新聞の編集部はコラム「芋幹木刀」を次のように紹介している。

芋幹はサトイモの茎、つまり「ずいき」のこと。「芋幹木刀《いもがらぼくと》」はずいきでつくった木刀だから頼りない、純朴でお人好しの日向の男性のことを例える。筆者は宮崎在住の男性。芋幹木刀どころか、硬派コラム。

勤めていた会社の同期入社者の集まりを「いもがら会」と称している。今年は宮崎市制施行八十周年だそうだが、昭和二十九年、三十周年記念の「南国博覧会」が、丸山町の私の生家近くの旧宮大グラウンドで開かれた。その時発表されたイメージソングが「いもがらぼくと」。作詞者は黒木淳吉さん。

会社の新入社員の集合教育は会社発祥の地・延岡で行われるのがしきたりで、「いもがらぼくと」は、ユーモラスな日向弁とのんびりしたリズムがよく合っていて、仲間の間で人気抜群、早速「会」の名前に採用された。

入社時の昭和三十三年は、池田内閣の高度経済成長政策のはじまる前夜で、就職状況も氷河期とまではいかないが、かなり窮屈ではあった。司法試験に失敗、国家公務員試験には何とか合格したが、当時の大蔵省や通産省に入るには点数不足。ところが中に立つ人がいて、宮崎の生家の南隣に仮寓のあった相川勝六代議士に、昔の議員会館で面談に及んだ。

相川さんは元官選の宮崎県知事、戦争初期結成された「祖国振興隊」の産みの親。なかなかシャープな頭脳でさすがは元内務官僚といった印象だった。約一時間どんな話をしたかすっかり忘れたが、次のことは覚えている。

「キミネ、学生運動をやっとるそうだけど、役所に入ったら、そんなことしたらいかんよ。いいね」

「日本の朝鮮政策は、当時の世界情勢から止むを得なかったんだよ」

と当時の自治庁（現総務省）入りを勧められた。

会社も数社受験、なんでも指導教官の話では「銀行は片親はダメ」ということで、メーカーにしぼり、幸いいずれも合格した。さてどうするか。相談した七つちがいで、親代わりだった兄寛之（第一回宮崎工専卒）の「役人はスカンなあ」の一言と、還暦を過ぎて、宮崎の生家で独り暮らしの母のことを考え、宮崎県に縁が深く、主力工場が延岡にある会社を選択した。

あの時兄はなぜあんなことを言ったのだろうか。やはり「祖国振興隊」のなせる業ではなかったかと思っている。その兄も今はいない。

人生とは不思議なもので、振り返って、どこが人生のターニングポイントだったかはよく分かる。しかし、その時はいくつか選択肢があって、今日ある結果は予測できるはずもなく、結局はその時得られた知見を総合して熟慮の上、自分の意思で決めることになる。成人して悔いの残った選択がいくつかあるが、自分の不勉強と軽率さから結果したこと、仕方がない。

在京時、私がちょうど「いもがら会」の幹事をしていたので、四十周年記念と銘打って文集を編んだ。四十八人のはずが、二人物故している。その後また二人が鬼籍に入ったから、あの時無理をして編んでおいてよかったなあと思う。ビジネスも人生も「先送り」してロクなことはない。何度ホゾを嚙んだことか。

私自身が書いた文章の中に、「会社人間廃業覚書」というカコミがあって、曰く

（イ）すぐやること

帰郷、古い生家の建て替え

（ロ）やりたいこと

「新聞の新聞」をつくる

（ハ）やりたい楽しみ

ゴルフ、旅行、釣り、読書

（ニ）やりたくても恐らくダメなもの

演歌の作詞

（イ）はスミ、（ハ）は努力中、ただし釣りは手付かず、（ニ）は演歌が俳句に変わった。問題は（ロ）である。退任を控え、世の中によほど何か言いたいことがいっぱいあって、「腹ふくるる」思いが強かったのだろう。

高校国語の古文で習った「大鏡」の序の部で、超高齢老翁たちが巡り合い、そのうちの一人の世継の翁（百九十歳）が次のように言っている。「今ぞ心やすく黄泉路もまかるべき。おぼしきことといはぬは、げに腹ふくるる心地しける。かかればこそ、昔の人はものいはまほしくなれば、穴を掘りてはひ入れはべりけめとおぼえはべり」。

「新聞の新聞」づくりを考えてみた。何事も一人では無理、いろいろ思いを巡らせてみたが、体調も崩し、早々に断念するほかはなかった。ある日、田中書店を覗くと、「みやざきエッセイスト・クラブ」というのがあって、大先輩の渡辺綱纜さんが会長とのこと。お願いして押しかけ会員にしていただいた。山下道也さんの投稿誌「渾沌」に投稿するきっかけになったのも田中書店。荒武直文さんの『幻の町――昭和一ケタ時代の宮崎――』を手にして雑誌の存在を知った。

「渾沌」が五十号で終刊になり、おまけに高千穂通りの田中書店も閉店。寂しくなっただけでなく、なにやらまたまた「腹ふくるる」思いが募ってきた。インターネット新聞はまさに「渡りに船」となった。

「芋幹木刀」のテーマ・材料は、便宜上全国区と宮崎区に分け、宮崎区のものでも「宮崎を全国に発信して普遍化する」ように心掛けている。宮崎区と全国区はおおむ

ね一週交替でホットニュースを取り上げ、切り口を工夫し、書くようにしている。例えば最近のタイトルを記すと、

三月　十四日　心配するな工夫せよ
　　　　　　　岩切章太郎翁半生を語る
三月　二十日　近ごろ愉快に思うこと
　　　　　　　――元気な若者、ロボット大国、国富町に新工場――
三月　三十日　レジオネラ問題でけじめ
　　　　　　　――日向市長選――
四月　四　日　国際政治の現実――尖閣諸島――
四月　十　日　報道の死角――回転ドア事故――
四月　二十日　イラク邦人人質救出事件
四月二十四日　児童福祉の先駆者・石井十次

唯一「ボツ」になった一篇「都はるみはアメノウズメノミコトか」の要旨は、次の通りである。

「ムカシ」（作詞・阿久悠　作曲・宇崎竜童　歌・都はるみ）がヒットしている。昭和一桁の筆者にとってこの阿久悠の詩の内容は厳しい。

〝あの日あなたは強かった〟
〝あの日あなたは偉かった〟
〝あの日あなたは華だった〟
あの日あの日で
うっとりさせ駄目にする
気をつけなよ
ムカシって奴だよ
——後略——

阿久悠は、はるみを闇の世に光を呼ぶ「アメノウズメノミコト」に仕立てた。ならば高千穂町の天の岩戸に、はるみを呼んで「ムカシ」を歌わせたいものだ。

「日常生活の快適度を測る生活環境部門では、宮崎市が一位になった。福山市、倉敷市と続く。一位の宮崎市は主に生活コストの低さが評価につながった（物価、公共料金、税金、家賃）。介護サービス、保育施設数とも豊富。豊かな自然と都市機能が両立している」（日経パソコン、平成十二年新春特別号）。この調査結果は今も変わらないと思う。

デモ・シカ俳句紀行

空港の出口の窓ガラス越しに、渡辺貴君がニッコリ笑って手を振っている。日焼けして、ふくよかな端正な顔は変わらない。時にEメールの遣り取りをしているので、久しい感じはしない。

「まず、子規堂へ行きましょう」

「松山行きの直行便がなくなってね」

これでは会話になっていない。

「宮崎から伊丹乗り継ぎで、運賃がどれくらい違いますか」

「ウン、往復二万円以上は損だわな」

何せ伊予・松山は俳句のメッカ。まずは現代俳句の創始者である子規に挨拶するのは、俳人なら至極当然の振る舞いであろう。実は渡辺君もムツ子夫人共々「ひねって」おられる。

言わずもがな、正岡子規は、俳句、短歌の革新、写生文の提唱や漱石、虚子などとの人間関係のひろがりなど、近代文学に果たした役割は計り知れないものがある。子規堂は子規の生家を模して作られ、子どもの頃愛用した勉強机、遺品などが展示してある。

「少し早いですが昼飯にしましょう。名物の五色そうめんはどうですか」

「そうめんは好物だわなもし」

助手席で、近況から昔ばなし、はては反日デモの時事問題などアレコレ話しかけるものだから、渡辺君の運転がどうもおかしい。早々に後ろの座席に移ることにした。

所属する俳句結社の「海程」編集部から「同人推挙について」という手紙を受け取ったのは三月はじめのことである。

「――このたび金子兜太主宰より、海程集での実績や年功および地域性などを考慮した結果、あなたを海程同人に推挙したいとのご意向が示されました――」

「エッ？　ご意向が示されました」とな。「俳句デモ」やってみるかと「海程」に投句しはじめてから丸四年しか経っていない。自分の実力は本人がいちばんよく分かっている。どうも尻がこそばゆい。会員になっている宮崎俳句研究会（俳誌「流域」＝海程系）の福富健男代表に相談すると、とにかく黙って受けておけとのこと。まあ、「年功」と「地域性」とやらを考慮した結果だろうと観念した。

手紙の末尾には、「五月二十八日開催の海程全国大会・in今治の総会席上にて、新同人の発表・紹介を行います」と記されていた。

よく友人から聞かれる。

「一体、一般投句者と同人とはどんげ違うとね」

「一般の場合、五句投句すると兜太主宰が何句か採る。いままで見ていると多い人で四句、ときに二句というのもあるが、大体三句は採ってもらえる。私もそうでした」

「お金はなんぼね」

「俳誌購読料として、年一万二千円だけです」

「同人は?」

「同人は三句出句して、主宰の選なしに三句載せてくれます。ただし、同人費は一般投句者の二倍です」

「相撲でいえば十両といったところね」

「そうです。やっと関取になって一人前の俳人。一応はですよ。上は幕内、三役と何ランクもあります」

主宰はもちろん同人作品にも目を通し、秀作を抄出したり、鑑賞したりして、各種の年間褒賞を設けている。

五色そうめんを食って、松山城にロープウェイで登る。ちょうど万緑のお城が修理中故かお客はまばら。坊っちゃんとマドンナら四人が、愛嬌を振りまいていたのが何となくわびしい。登り口駅から少し離れて、新名所「秋山兄弟（好古、眞之）生誕地」をたずねる。奇しくもこの日は、眞之が、日本海海戦でロシア・バルチック艦隊を撃滅してちょうど百年、「旧海軍記念日」（五月二十七日）だった。司馬遼太郎・「坂の上の雲」の世界だ。

道後温泉に近く「子規記念博物館」がある。びっしり「子規」が詰まっている感じでいささか窮屈。子規はベースボールを「野球」と命名したが、それは幼名の「升」（のぼる）＝野・ボール＝球からきているといった話などは楽しい。

そこから一気に今治の「来島海峡」「しまなみ海道」へとんだ。本四架橋は三ルートあるが、いちばん西側で正式には「西瀬戸自動車道」といい、建設費三千七百億円。今治から九つの島、十の橋を渡って、全長約六十キロ、尾道に達する。通行料金は往復九千四百円也。海峡の潮流は狭く、激しい難所、一日約千隻が通過する。世界初の三連吊橋も美しい。遠くの島並みは夏霞がかかり幻想的だ。村上水軍のロマンも秘める。

とはいえ道路公団民営化で問題になった赤字路線であることには変わりはない。

渡辺貴君は、学校、会社、職域を通して三年ほど後輩にあたる。ＯＢになって、私と同じく帰郷を選択した。今治市に隣接する西条市の旧家の出だが、戦後の農地改革もあって今は「一反百姓」をやっている。手土産は「地鶏炭火焼」と『青春とは』（サムエル・ウルマン　新井満訳　講談社）。

四国の屋根・石槌山（一九八二メートル）を遠くにのぞむお宅は、どっしりした木造りで、家の裏が田畑になっている。西向きの裏山には祖先伝来のお墓が鎮まる。田畑の割合は半々で、これでお米三・五俵と季節の野菜を栽培して完全自給ができるそうだ。戦時中、戦後母と同じことをやったことを急に思いだした。たとえ一反でも作物の世話はしんどい。

しかし、ささやかでも「一反百姓」は、「食料の自給」、「水田文化や地球環境保全」、「心身の癒し」、「孫・子との触れ合い」などに寄与するのではないか。

畑ボラの空豆をつまみがら、ムツ子夫人も加わり俳句談義になった。四国とくに愛媛県は、高浜虚子以来花鳥諷詠の伝統俳句の流れがつよい。「海程」は五・七・五の定型、季語、切れ字など俳句のかたちを尊重はするが、厳密には拘らず自由である。無季の俳句や字余りのものが結構ある。

結社を選ぶとき、二、三俳誌を取り寄せて（無料）比較。自分に合ったものとして「海程」を選んだ。兜太主宰の「古き良きものに現代を生かす」という標語に共感したというわけだ。

大会会場の「今治国際ホテル」は、ホスト県の地元代表が「超一流」と胸を張ったように、シーガイアに似てなかなかのもの。当日受付は午後からなので、朝の街を歩いてみた。右手に今治城を見ながら、今治港へと商店街「いまばり銀座」を通る。

「お宅だけですね。店を出しているのは。開店は何時ですか」

「バラバラですな」

「立派なアーケード・モールですね」

「約一キロあります。かつて三百店が栄えてましたが、今は四割が空き店舗。昔は港から駅までみんなここを通ったもんです。本四架橋の交通革命と郊外大型店の進出のせいです。時代の流れですな」

「人口は？」

「十二万足らずでしたが、合併で十八万になりました」

「ホー、復活できますか」

「合併先は島ばかり、架橋でフェリーの客も減りました。街の復活は無理でしょうな。後継者もいないしね」

今治といえば、日本一の「タオル」の産地。近年中国品に押されて見る影もない。造船業は復活の兆しがあるが（今治造船は造船日本一、会場の今治国際ホテルも経営）、何せ雇用量が繊維と比べて少ない。今治駅前の大衆食堂跡は廃墟化して見苦しい。イオン宮崎ＳＣ進出で宮崎の橘通りはどうなるのかな。

大会を通じて兜太主宰がこもごも語った語録を次に記す。


「最近大会会場が段々派手になってきた」

「記念句会などへの投句は初出のものに。どこかでみた句がある」

「八十五歳になった。ものを考えることが健康法。俳句はものを考える」

「故藤田湘子はプロの俳人として徹底していた。私もプロ意識に徹したい。これも健康法」

「俳句は独特なもので（芸術性）、誰でも分かる句を（普遍性）追求すべし」

「俳句は身体の感覚で書け、教養や智だけで書くな」

大会のハイライトは記念句会。三次句会まである。参加者百七十人に「投句用紙」と「選句用紙」が渡される。清記といって作者名を消した作品集がつくられ、それぞれ選句するから、すぐれて民主的ではある。

しかし、いくら互選で高得点を得ようが大したことではない。問題は御大の金子兜太選である。みんな固唾を呑んで待ち受ける。主宰選は結果的ではあるが、互選の高得点句との重なりは少ない。しかし、講評には納得性、説得力がある。さすがである。だから兜太選は価値があるのだ。主宰はまた選外の全句についてもコメントを欠かさない。

このほど、金子兜太の句碑が青島に建った。

ここ青島鯨吹く潮われに及ぶ　　兜太

よく見るとなるほど青島は鯨に似ている。だんだん「俳句シカ」なくなってきた。

ごっつい指

大西唯吉君が家業の日向夏の露地栽培をやめ、花木栽培に専念するようになってからもう三年が経つ。日向夏の最盛期は二百本を超えたそうだが、さすがに寄る年波に抗えず、かつ収支のバランスも悪化してきて、近年は樹木の数を半分に減らしていた。一方、長年取り組んできた花木栽培が一定の成果を収めるに至ったこともあって、その年思い切ってすべての日向夏の樹を切り倒した。

その際小振りの木を一本分けてもらい、庭に植えたところ、翌年から実を付け、今年はなんと百個余りも生った。早速好物であった父母に手向け、隣近所にお裾分けをしたが、ときに訪ねてくる大西君にも味を偲んでもらった。なにせ袋掛けもせず、防除や施肥など手入れも行き届かず、表皮もごつごつして器量は悪い。しかし、味はたしかに大西君のところのものだ。白い薄皮の部分が適度に厚く、果肉はジューシーで、ハウスものとは異なり断然高級な味わいがある。

大西君の話では、長年手塩にかけて育てた樹姿は直径が八メートルにもなり、高く茂って一本の樹で千個も実をつける。日向夏の場合、一年生苗木を定植して初収穫を迎えるまで通常五、六年を要し、温州みかんなど他の柑橘類に比べて、施肥、防除、なかでも開花期の人工受粉作業（大西君は養蜂を利用）、剪定、果実の袋掛け、収穫・出荷作業などで、大変手間がかかる。台風で落果もある。おまけに時期がくると裏山から猿や猪の一群が押し寄せ、喰い散らかし、強奪して行くから、犬を飼うなど防御に工夫が要る。

出荷期の三月中旬から四月初旬にかけては、それこそ火事場の忙しさで人を雇うことになる。近年県外への贈答用の箱詰も増えてきて、手間が掛かるようになった。労賃はずいぶん高くなった割には、売値は「ハウス」ものとの競争もあって低迷しているから、利益は当然薄くならざるを得ない。寒害対策の年末・年始の袋掛けがまた大変な仕事で、大西君は樹に登ってひとつひとつ袋を掛けていくのだという。

大西君は、国民学校一年生以来の竹馬の友である。僕らは国民学校一回生だが、この年の十二月大東亜戦争がはじまった。敗戦の年は五年生。学制が小学校に戻って、新制中学ができたのが昭和二十二年のことだったから、実は僕らは小学校は出ていない。

大西君の家は江平東町の農家で、今の柳丸町界隈にかなり広い田圃があった。丸山町の私の家とは神武さんの一の鳥居をはさんで近く、国民学校、新制の中学、高校と通算十二年の身近な間柄である。その後は道を異にしたが、私が会社に入り、工場のある延岡に赴任して長年留まったので、疎遠になった時期はほとんどない。

勤めが東京に変わり、関係会社の再建の仕事をやったとき、節季節季のお得意さんへの贈りものに大西君の「日向夏」をつかった。日向夏は都会ではあまり知られておらず、珍しくかつお中元やお歳暮の時期とズレているので、概ね好評であった。もうあれから十数年経つが、なるほど売値は今とそんなに違わない。果樹経営も大変なことが分かる。

大西君は今は清武町に住んでいる。彼の持山は鏡洲の双石山中腹にあって、北向きの山の斜面に四町五反を占め、遠くに宮崎市の街が一部望める。しかし、果樹の立地としては、決してよくないとのこと。高名な日向夏博士の三輪忠珍先生のご指導もあってここにきめたのだそうだが、確かに北向きというのは日当たりも悪く、素人でもどうかと思う。それに、零下四度以下が四時間以上で果実が凍結すると、水分が抜けて、いわゆる「す上がり」になり、商品にならないという。

末子の大西君は、四人の兄上が独立するなかで、軍人だった父上の「日向夏栽培をやるから手伝え」との意に抗し難く、その勉強のために入学した宮大農学部を昭和三十三年卒業後、即この地に入植した。父子が起居をともにした作業小屋が今でも残っている。彼が入植以来一日も休まず今日まで書き綴った「鏡州日記」がある。当時日向夏の栽培法は未だ確立しておらず、生産農家は少数であった。ノートの日記にはその日の作業内容、生活記録、先達との交流、知見など簡潔に記されている。たまに、その時折の心情がページを越えて吐露されている。開拓地の開墾からはじまる悪戦苦闘した連日の重労働は、それこそ筆舌に尽くしがたいものがあったろう。果樹や花木の栽培の山仕事は機械化された田畑の作業と異なり、今日でも昔とそれほど違っていないように思う。

大西君は実際に冬季の気温や日照時間の測定など行い、日向夏栽培の立地条件としては不適地であることが分かると、早い時期に思い切った経営戦略の転換を決断している。それは、子どもの時から好きだった花木や草花の栽培への取り組みを漸次拡大していくことだった。彼が父上ともども文字通り艱難辛苦して、ものにしてきた日向夏をあっさり伐採できたのは、四十年の歳月を要したという「花木で大地に絵を描く」彼の夢が完成、成就した証でもあった。

「親父からの自立を考えて、学校の先生になろうと思って大学で単位を取ったこともある。あるときは狭い土地にしがみつくより、新天地を求め、広いブラジルに移住することも真剣に考えた。成功していたかもしれない。しかし、たとえそうであっても、親父とのしがらみは決して切れなかったはずだ。自分にはそれはできなかった。今はこれでよかったと思っている。親父は死ぬとき、『俺の一生で、この山の生活が一番楽しかった』と言ってくれた」

とつとつと宮崎弁で語る大西君の話を聞いていると、なにかより貴いものを感じる。叩き上げの中小企業の社長さんとのときと同じ性質のもの、あのズーンとくる迫力がたまらない。功名が辻ではないが、奥さんの支えがあったにしても、彼はほとんど独力で山男の人生を全うしつつある。

極楽浄土とはこのことではないかといつも思う。大西君の春の山のことだ。山が大笑いする。季節の花はほぼ正確に序列を守る。梅、椿、桃、山桜、つつじと。しかし、南国宮崎の地では、旬の差はあるが、これらが同時に存在し、極彩色を呈する時期がある。

例年この時期、この山を同窓の友人と訪れる。その年は大西君夫妻を入れて四組の夫婦が花の下で弁当を開いた。食後の果物は日向夏を摘む。かなしいほどの一刻が流れる。本当にこの世のものとは思えない。仏の御手に抱かれてひたすら静かな語らいがある。大西君の労苦を身に染みて感じるときでもある。帰りはこもごも日向夏に、摘んだ石蕗か蕨のお土産を手に家路につく。値千金である。お返しはいつも下手な俳句を贈っている。

初蝶の斜面に沿うて落ち着かず　康之

大西君はある時期まで農協など町との付き合いはしなかったという。とにかく山に打ち込んできた。前述の「鏡州日記」を見ればよく分かる。それでいて時事問題についてもなかなか明るく、的確な論評をする。花木の中でも好きな椿は、その道では知られる研究家だ。いくつもの新種を創り出してきた。囲碁は五段。数年前から大上敏男先生について、カンバスに力強い絵を描きはじめた。

花木市場の帰りに、朝早く訪れてきた大西君の顔は、日に曝されて深く皺が刻まれ、髪はこれはお互いさまだが薄く白く、少し老けた感じはあながち玄関の光線のせいばかりではないと思った。

「大概にせんと」

「ウン、雨の日は止めちょっとよ」

「山でどんくらい働いちょっとね」

「まあ、若いときの六割ぐらいじゃろ」

「今日はなんね」

「あんた石蕗が好きじゃかいよ」

石蕗を差し出す彼の手の指を見て、改めて思った。なんとごっつい指なんだろう。私の二倍の幅はある。体積にしたら優に三倍はある。子どものころから頑丈な体だった。私はといえば腺病質でしょっちゅう熱発した。だから、入学時の記念写真に写っていない。

「あんた、橘大衆劇場に一度行ってみたいと言っちょったが、今月末で閉館と」

「そうよ、一人ではよう行かんかったつよ」

「手が空いたから行ってみるね。話したら関(敏明)君も一緒に行きたいと」

閉館を間近に控えた劇場の入りは、昼の部で百人ほど。マイクロバスできた高齢者のグループもあった。女性が圧倒的。しかし、三百席が満席だから、いささかさびしい。第一部が義理、人情話の芝居。第二部がビートの利いた舞踊。戦後神武さんの徴古館の仮設舞台で、青年団の芝居や舞踊をよく見に行ったものだ。半世紀ぶりの大衆演劇だった。
　正直演技も舞踊もうまいと思った。ケータイへ向かい見得を切るなどお客へのサービスもいい。旅役者はとにかくお客の支持がなければ、一日たりとも立ち行かないから、その必死な気持ちが伝わってくる。富沢某のごとき色気もある。三人とも「面白かった」で一致した。「花」をと思って役者の襟元を見たら、お札の端が光っていたので止めにした。

　大西君は山を息子の一人が継いでくれそうだとうれしそうだ。「あと十年、花木と囲碁と絵と好きな人と自由に生きたい」と彼は言う。奥さんも「日向夏」から解放されて、このところダンスをはじめたという。彼が日向夏をやめた本当の理由はここにあったのではないかと密かに思っている。

column

イスラム国

１月20日16時25分羽田発、ANA613便で帰宮するため67番搭乗待合席で待機、初場所のテレビを観戦していた。前に勤めていた会社の「社友新年会」に出席、一泊しての帰りであった。と突然画面が切り替わり、「イスラム国」が邦人二人を拘束、身代金を要求、さもなくば殺害するとの事件の報。これは大変なことになると直感した。飛行機は大分遅れて離陸したが、事件のことが気になり17時のニュースを聞くべくイヤホーンを付けた。ところが17時ちょうど、ラジオがマニュアル通りの機内放送に切り替わった。大事件が起きたというのに何の配慮もない。早速チーフアテンダントを呼び抗議したが、知らなかったとのこと。少々大人気ないかと思いはしたが、「あとで乗務員同士で話し合ってください」とだけ言って名刺を渡した。わが国もいよいよテロやハイジャックの危険に晒される時代に突入したと思われる。

二の扉

運がよけりゃ

牧水とビール

国道10号線を北上して美々津大橋の手前を左に折れ、すぐに旧橋を渡り耳川の左岸の道を遡上、牧水の里に向かった。六月十日の時の記念日、みやざきエッセイスト・クラブの久しぶりのレクは、渡辺綱纜さんの発案で、若山牧水記念文学館で開かれている「歌人若山牧水書簡展」がお目当て。絶好のお天気で、耳川の清流に迫りくる両岸の緑が素晴らしい。

マイクロバスの中で、会員仲間の牧水にまつわる話を聞いていて、急に父のことを思い出した。私の父は赤江の城ヶ崎の出だが、一九一三（大正二）年、海を渡り、朝鮮の木浦府水道係に勤めた。宮崎市に水道が通じたのは一九三二（昭和七）年のことで、父はその翌年、請われて帰郷、宮崎市役所の水道局に入っている。私はそのまた翌年、生を得た。

牧水が重い事業負債を何とかしたいと、病をおして、一九二七（昭和二）年五月、朝鮮方面に揮毫旅行に出、釜山、大田、光州、羅州、木浦、珍島などを廻り、木浦では父の家に立ち寄っている。

父は生来世話好きの上、故郷の有名な歌人が来たというので、同志ともども歓待したのであろう。牧水はこの時の旅行の無理が祟り、翌年没している。死因は急性腸胃炎肝硬変症。要するに酒の飲み過ぎ。

若山牧水（一八八五―一九二八）は日向市東郷町坪谷の出身で、本名繁、地元の小学校を出ると、延岡高等小学校、旧制延岡中学校（第一回生）と、七年間延岡市で学んだ。

なつかしき城山の鐘なり出でぬ
　幼かりし日ききし如くに

若山牧水延岡顕彰会が、毎年「牧水まつり」を開催、近年「若山牧水青春短歌大賞」が設けられていて、延岡との縁が何かと深い。

私が勤めていた会社とA麦酒㈱との業務提携が成った一九八一（昭和五十六）年、当時業績が低迷していたA社の経営再建を支援することになり、延岡支社で私が「Aビール愛飲推進本部」の委員長を仰せつかったことがある。当時のビール業界は、K麦酒㈱が延岡市や宮崎県で約七〇パーセント、全国で六〇パーセント強のシェアを占め、圧倒的であった。これに対しA社は一〇パーセント程度であった。

「試飲会」「ビール工場見学会」「ケース指名買い運動」「ビヤホール列車」（高千穂線）など今考えてもよくやったなあと、感慨深い。お陰でA社のシェアはうなぎ登り、当時お世話になった方々にお礼申し上げるとともに、ご迷惑をお掛けした方々も多々あり、改めてお詫び申し上げたい。

牧水と同郷で、初代愛飲推進室長の塩月二男さんが、牧水の酒の歌の中に「ビールの歌」が確かあったはずだと言い出し、叔父さんに当たる塩月儀市さん（一八九七―一九八八　元東郷町教育長・牧水研究家）に照会したところ、五首あることがわかった。

船室のまどよりやはらかき朝日きたる
　わがいとしき麦酒を呼ばむかな

雪のこる痩庭ながめ朝はやく
　宿舎にのめる麦酒の濁

寒き夜の煮たる酒をば願はずて
　麦酒をぞすする氷れる麦酒

咽喉にやや熱ある覚え飲みくだす
　寒き麦酒は泣くごとうまし

寒き夜にすする麦酒の濁れりと
　灯にかざしつつうち振りて飲む

このうち一番目の歌が、牧水生誕百年記念ラベル（缶ビール）に採用された。「好きです牧水のまち」とコピーして牧水の肖像画を使用したが、この時、長男の若山旅人さん（一九一三―一九九八　建築家　歌人）の了解を得るべく、上京した思い出がある。

牧水には十五冊の歌集があり、実作期間二十三年で約六千九百首収録されているが、未発表の分を含めると、四十三歳の生涯で約八千七百首に達する。うち約三百六十首が酒の歌。なお、旅の歌は約三千首といわれる。

一九九七（平成九）年、延岡市の千徳酒造㈱が収録した「若山牧水酒の酒（サケノウタ)」によると、ウヰスキイ七首、ビール五首、ワイン二首、焼酎二首、ブランデー一首と、断然日本酒と思われる歌が多い。

人口に膾炙した「白玉の歯にしみとほる秋の夜の酒はしづかに飲むべかりけり」もいいが、次の歌が私は好きだ。

足音を忍ばせて行けば台所に
　わが酒の壜は立ちて待ちをる

運がよけりゃ

「社長どうしたんですか。顔が真っ青ですよ」

「ウーンちょっとね」

もう十五年ほど経つが、あの時の出来事が今でも時々夢に出てきて、うなされる。

当時、関係会社へ出向、会社再建の仕事を託されていた。東京の虎ノ門にあったその会社の本社には定刻の九時までには出社、必ず朝礼をやり、私が短い話をしたあと、社員が交替でスピーチをしてもらうのを習わしにしていた。

藤沢周平の名作に「三屋清左衛門残日録」というのがある。惣領の又四郎に家督を譲り、五十二歳で隠居した主人公の清左衛門が、日記に「残日録」と名付けたが、嫁の里江との間で次のようなやりとりをした。

「いま少しおにぎやかなお名前でもよかったのでは、と思いますが」

「日残リテ昏ルルニ未ダ遠シの意味でな。残る日をかぞえようというわけではない」

そこをムリして「残る日」を数えてみると、最近のデータでは、七十歳の平均余命は男で十四歳、女が十八歳強となっている。この数字を「昏ルルニ未ダ遠シ」とみるかどうかは個人差があって、一概には言えない。古希を過ぎてつくづく思うのは、これからのこともあるが、「よくぞこれまで生き延びてきた」という実感の方が強い。マクロ的には平均余命の伸長は、おかげで戦争がなかったこと、高度経済成長で国民の生活水準が飛躍的に向上したことが大きい。戦後約六十年で、平均寿命は男女共に三十歳前後延びている。

私の場合は、母がいなかったら、まず今日の私はない。幼少時腺病質で、季節の変わり目には必ず熱発した。ジフテリアや肺炎の危機もあった。母の献身的な看病で助かっている。池にはまって溺れそうになったこともある。極めつけは米軍機による爆撃、機銃掃射。元気になったのは、皮肉にも戦争のおかげ。戦時体制下で、冬でも登校すると裸に素足でグラウンドをワッショイ、ワッショイと走らされたものだ。農作業の手伝いも一通りやった。これで戦後、新制中学校以来無欠席となる。社会人となって、タクシーでの衝突事故・負傷、夜間の山道での転落寸前事故、過労がたたっての肺炎・緊急入院、退職してからは江平町の交差点で自転車で倒れ、危うく轢かれるところであった、等々、枚挙にいとまがない。恐らくこの程度のことは大方の高齢者は経験してきているのではないだろうか。

通勤コースは杉並区西荻窪の社宅を出て十分ほど、ＪＲ西荻窪駅で中央線電車に乗車、一つ目の荻窪駅で地下鉄丸の内線に乗換え、赤坂見附駅で銀座線に乗換え、虎ノ門駅下車。徒歩にて本社に至る。これで一時間十分かかる。ちょうど特急で宮崎─延岡の片道時間に相当する。

通勤時間の乗換えはいつも大変な混みようで、車内もとくに冬場は厚手のコートを着ているから、一層窮屈になる。乗換駅には、ギリギリに乗車したお客の背中やお臀を両手で押し込む、専門の駅員を配置している。因みに東京の人は、例えばお昼時でもよく並ぶ。大阪は今でもちゃっかり割り込んでくる奴がいる。

それは寒い日の朝だった。場所は赤坂見附の銀座線プラットホーム。赤坂見附駅は都心にあって半蔵門線も入っているので、東京でも混雑度は高いところ。あと一人か二人乗れそうだったが、私は断念し、最前列に並んで次の電車を待つことにした。ラッシュ時はほとんど待ち時間はない。

すると突然、コートを着た女性が走り込んできて、僅かな電車のスペースに身を投げ入れたが、扉に半身とバッグが挟まれて扉が閉まらない。このままでは電車はスタートできないシステムになっている。最前列にいた私はとっさに両手で彼女を押し込んでやった。押し込みは成功したが、と途端に両開きの扉がガチャンと締まり、私の両手首を挟んでしまった。と同時に電車が動き出したではないか。

左手首は何とか抜けたが、締まりが一層きつくなって、右手首は挟まれたまま電車の動きに合わせ、足を早めていった。この時点で私ははっきり「死」を覚悟した。地下鉄のホームが尽きると、もちろん私は転落する。電車のスピードが上がると私は宙に浮き、恐らく、体重と電車のスピードで右手首は千切れるだろう。体は電車の下敷きになり、死は免れない。それよりも、間隔をおいて構内を支えている支柱に体ごと打っつけられ、一溜まりもないはずだ。これだけのことを瞬時に自覚した。

電車が急停車して、駅員が走ってきた。扉の向こうであの女性が私に手を合わせてくれていた。全身に戦慄が走った。これほどの「恐怖」をかつて味わったことはない。ただただ運がよかったと言うべきであろう。

北国の春

五月十二日（月）午後、何気なくテレビを見ていたら、中国の四川省でM7・5の地震が発生したとのテロップが流れた。これは大変なことになるなと思った。あとでM8・0と上方修正されたが、その惨状は想像を絶するものがある。

とっさに記憶が甦った。四川省の東部に接するあの長江三峡ダムは大丈夫だろうか。数々の世界遺産は、伝えられている北部にある核関連施設は、さらにかつて訪れたことのある三峡ダム上流にあった製塩工場は、どうなったのだろうか。従業員とその家族は、とあわてて納戸の奥に仕舞ってあった当時のアルバムを引っ張りだした。

平成五年（一九九三）十月、私は、日本塩工業会の中国塩業視察団の一員として、十日間にわたって、軽工業局製塩工業科学研究院、中国塩業総公司、天津・塘沽塩田、四川・川東製塩工場をはじめ各地の関係組織を訪問、交流を行った。

中国は食用塩と苛性ソーダ用などの工業塩込みで約五千四百万トン、一昨年、アメリカを抜いて、世界一の塩生産国になった。急速な工業化に伴いこの六年間で二千万トンも増えている。わが国は、塩総需要量およそ一千万トンのうち約八割を占める工業塩は全量輸入（メキシコ、オーストラリア産が大半）、残りの一般塩・食用塩のうち百十五万トン程度を国内生産で賄っている。自給率は一三パーセント、食糧自給率三九パーセントどころではない。

古来、手間暇の掛かる海水塩に依存してきているわが国に比べ、中国などはコストの安い岩塩も豊富である。工業会の視察目的は、平成九年（一九九七）に迫った塩専売制度の廃止・自由化を目前にして、輸送距離も近く、安価な中国塩輸入の脅威に備えるというものであった。

塩は、人間はもとより動物にとって不可欠かつ代替性のない物質だから、太古からどこでも聖なるものとされ、古代ローマにおいては、兵士への給料として塩（ラテン語ｓａｌ）が支給された。英語のｓａｌａｒｙ（サラリー）はここに由来している。日本神道では「清めの塩」とされ、大相撲では塩を撒く。

よく知られているように、「忠臣蔵」の原因には、赤穂浅野方と三河吉良方との間に製塩技術を巡る諍いが伏線にあったとされる。そんなこんなで、世間では今でも「塩」と呼び捨てにせず、「お塩」と呼ぶ人も多い。

お塩の専売制は、遠く中国の漢の武帝が財政対策ではじめたとされ、今でもお塩は国家の管理統制下にある。わが国のお塩の専売制度は赤穂藩など藩政時代にも存在したが、明治三十八（一九〇五）年、日露戦争の戦費調達のため開始され、その後は国内自給確保の公益目的に変化してきている。

その自給確保の最大の危機が、先の大戦の終戦前後であった。私の母はよく一ッ葉の浜でお塩を買い入れて田舎に行き、塩一升米一升と交換してきた。一ッ葉の浜だけでなくアチコチの浜で、ドラム缶を半分に切った釜で直接海水を薪で煮詰める方法だったと記憶している。

もともと、わが国のお塩の自給率は開国以来低く、大陸からの輸入塩で賄われてきており、大戦で敗色濃厚となれば船腹不足で輸入が滞ることになる。

そこで、政府は配給制に加え特例として自家用製塩制度、戦後は自給製塩制度を導入した。調べてみると、明治時代に廃止された宮崎県の塩田もこの一時期復活している。

終戦後、この未曾有の危機を救ってくれたのが、実は蔣介石中国国民党主席であったといわれている。蔣主席は、「怨みに報ゆるに恩をもってす」として、当時中国でも必需物質であったお塩の対日輸出を認め、日本からの賠償も免じている。ところが歴史は皮肉なもので、今日わが国の製塩業は、その中国塩の輸入増問題に揺れている。

終戦時から二十年ほどして、食用塩製造技術に画期的な革新をもたらしたのが、「塩田法」に替わる「イオン交換膜法」の発明であった。この技術で海水を高度濃縮し、全天候型の工場生産方式で製塩できるようになったので、広大な塩田は不要となり労働生産性も飛躍的に増大した。その結果、二千近くもあった中小塩田製塩業者は整理され七社に集約された。

わが国の塩田法の最大の弱点は、多雨高湿の気象条件に左右され経営が不安定であったことだ。食用塩に関しては、これでようやく自給、自立の体制が整うことになったが、専売廃止後製塩業界は、合理化を強いられ現在四社に統廃合されている。

私の勤めていた会社は、本社は東京だが、工場は福島県の小名浜にあったので、お得意さんはだいたい山梨県以北、北海道に至るお塩の元売さんであった。業務用塩も直売は少なく、当時は元売を通すのが昔からのしきたりとされた。社長の重要な仕事はどこでもトップセールスだから、振り返ってまあよく回ったなと思う。

製塩メーカー七社間の競争ははじめはそれほどでもなかったが、専売廃止が本決まりとなり、漸次価格や品質面で競争激化の兆しが現れていた。商売をした夜はまあ一杯というわけで、元売の社長さんとはよくカラオケ合戦をしたものだ。結構軍歌が歌われた。社長さんの世代からして、どうしてもそんな流れになる。エリアが北国だったから、大概「北国の春」で終わった。

「後知恵」とはよく言ったものだと思う。職を辞して帰郷してから、「(俳句)デモ・(俳句)シカ俳句」をひねりはじめて気が付いた。お塩のセールスの道は何のことはない、松尾芭蕉の「奥の細道」と大方重なる。芭蕉の事跡をもっと計画的に辿っておけばよかったと残念でならない。

帰郷してすぐ、図書館で宮崎県のお塩の歴史を漁っていて、「宮崎県地方史研究紀要——宮崎県立図書館」の中に、宮崎医科大の中島寅雄教授著『塩の需給と生活慣行——近・現代日向の場合』の論考に出会ったのは幸運であった。以下論考による。

一、明治の初め頃の県内製塩地は、北は恒富村(延岡市)から南は福島村(串間市)まで十四カ所の記録があり、中でも生産高の多いのは、広瀬村(佐土原町)、細田村(日南市)、北方村(串間市)、福島村(串間市)、富田村(新富町)の順になっている。なお、宮崎県は、明治四十三年(一九一〇)の「塩業整備」で生産廃止となった。

二、宮崎県のお塩の自給率は日露戦争の頃、約二二％で九州各県のうちで最も低い。高い県は大分（一一六％）、沖縄（一〇三％）、熊本（九八％）、鹿児島（七二％）となっている。

三、自給率が低いから、どこから輸入したかというと、当然一大産地の瀬戸内塩中心ということになるが、ほとんどの日向灘沿岸の港が利用されており、取り扱い高は赤江（宮崎市）、蚊口（高鍋町）、油津（日南市）、細島（日向市）の各港の順とある。

四、内陸部への輸送は舟運・馬の背・人の背で行なわれた。小林盆地には鹿児島県国分からのものと赤江から大淀川（赤江川）を上って赤谷（高岡町）を経たものが競合している。面白いのは椎葉で、馬見原（熊本県蘇陽町・現山都町）から南下する肥後塩、八代から球磨川上りのもの、それに細島から神門（東郷町）を経由した瀬戸内塩が混在していた。

お塩の道は文化の道でもある。宮崎県教職員互助会が一昨年発刊した『ふるさとのみち――宮崎の街道』を合わせ読むと面白い。

われら塩業視察団が訪問したすべての塩業公司が、連日昼も夜も盛大な歓迎会を開いてくれて、その「熱烈歓迎」には驚かされた。万県市（現在、万州と称し重慶特別市に編入）の川東製塩工場では、歓迎の幕が張られ、日中の国旗を掲げ、工場長以下が出迎えてくれた。入口には女子社員が整列して「いらっしゃいませ」と日本式にお辞儀をしてビックリ。

この時期、鄧小平の経済開放政策が深圳地区などで大成功を収め、反日で名高い江沢民が、鄧小平によって党総書記に抜擢されて日も浅かったこと、また中国の塩産業の技術陣が度々視察団を組んで来日、わが塩工業会が、これを親しく受け入れてきた経緯も与かっていたと思う。

川東製塩工場は、上海から長江を遡上すること約二千キロの港町に位し、三峡ダムで水没予定地であったため、丘陵地に建てられていた。省都・成都の東約三百キロの梁平空港からさらにバスで二時間半、公安部のパトカーの先導で山間地を走った。農山村の佇まいは戦後の日本を思わせ、もう北京あたりでは見掛けない人民服の人がほとんどだった。

この度の四川大震災の映像で一番印象的であったのは、庶民の服装がカラフルになっていたことだ。中国の製塩は沿岸部の塩田方式と内陸部の岩塩溶解方式に大きく分かれる。この製塩工場は十キロ先から溶解した岩塩をパイプで運び、ろ過して煮詰め、製品化する最新鋭の工場だった。深度二キロの岩塩層に水を注入して溶解し、ポンプアップしている。

歓迎の万県市長や工場幹部は、各地で出会った組織幹部と同じく、みんな若く四十歳代で生き生きとしている。困ったのはロシア語が話せても、英単語はさっぱり通じない。そういう世代なのだ。漢字の筆談が役にたった。

歓迎会は盛り上がり、工場幹部の奥さん方も総出のダンスパーティー、カラオケパーティーになった。誰かに背中を押されて舞台に立った私は「北国の春」を歌った。いつの間にか舞台は日中の大合唱で溢れていた。

column

玉音放送

疎開先の綾南川で、鮠《ハエ》釣りから帰ってきたら、寝たきりの父が「康之、敗けたよ」と言った。父は一日中ラジオを聞いていたので「玉音放送」を聞き漏らすことはなかった。父が「この戦争は敗けだよ」と言ったのは、サイパン島の玉砕の報（1944・昭和19年６月）に接した時だったが、国民学校の４年生で、軍国少年だった私は大いに反発したものだ。今考えてみると、父は日露戦争の従軍兵士だったから、戦況判断が一般の人に比べて何ぼかできたのかもしれないと思う。父は応召の陸軍一等兵で、最低ランクの勲八等瑞宝章を貰っている。

敗戦の年は台風の当たり年で、９月宮崎の自宅に引き揚げるトラックから稲の白穂が恨めしく見えた。綾から本庄に至る道路には小型戦車がずらーと並んでいて、「なんだ、まだ戦えたじゃないか」と思ったものだ。

夕映えの赤江川

私の所属する宮崎俳句研究会（代表・高尾日出夫、会員・二十六人、俳誌・流域）の月例句会は、第三日曜日、午後一時から開かれる。会場は宮崎市役所前の宮崎市民プラザ四階の小会議室を借用している。噴水のある前庭の市民広場が最近リニューアルされた。ナツメヤシ、ジャカランダ、ブーゲンビレア、イペーなど亜熱帯の樹木六十本ほどが植栽され、十年も経てば緑陰が親しまれることになるだろう。

この日の出席者は十五人、女性が八人で、大体いつも性別は半々、ただし、年配者が多いのは致し方ない。事前二句投句で総投句数は四十六句だったから、会員のうち二十三人が投句したことになる。互選は七句選で、十五人×七句＝百五句選ばれ、獲得得点数（本人を除き十四点満点）を競うやり方をしている。もちろん、互選を前に配布されるプリント（清記という）には、作者名は伏せられているから、公平で民主的なシステムになっている。最高点句から、その句を選んだ人が順に、選んだ理由や感想を述べ、次に選ばなかった人が自由に論評することにしている。問題句は打打発止の激論になることがままあるから、結構刺激的だ。この結社は「研究会」なので、主宰の宗匠がいて選を行い、指導する方式は採用していない。従って、句作りも、現代俳句調が主流だが伝統俳句調でも可、つまりバリアフリーの集まりである。

なべておぼろ難聴の昼顔のような　　阿辺一葉

この日の最高点句・七点句である。作者の阿辺一葉さんは、句歴四十年の大ベテランで、今年九十歳になられた。この日は欠席、大腿部骨折で入院中であった。私の句は残念ながら、二点句と一点句であった。中でも一点句の句には色んな思い入れがあったので、ちょっとがっかりした。句友の目は厳しく、句姿が現代俳句調から少し遠過ぎたかなと思った。

夕映えの橋の脚跡赤江川　　康之

句会の後しばらくして、所用で当日句会を欠席された髙尾代表からお葉書を頂戴した。髙尾代表は川南町在住で、宮崎現代俳句協会会長、宮崎県俳句協会顧問などを務められ、県俳句界では著名な俳人である。

「『夕映え』の句、ロマンがありますね。赤江の故事来歴が橋の脚跡と響き合っていると思いました」

ウン、そうか、作者の作句意図を、川南の人に、これほど的確に分かっていただくとは思いも寄らなかった。途端にうれしさが込み上げてきた。これだから俳句は止められない。

掲句は、大淀川の流れを見つめながら、橘公園のロンブルに座して詠んだ句だが、この句を得るのに四、五年は要したように思う。川は朝、昼、晩とその表情を変え、季節の移ろいを演出してくれて飽きない。時に遭遇する夕映えに浮かぶ橘橋のシルエットは幻想的だ。しかし、川は凶暴に振舞う時もある。

私の父は赤江の城ヶ崎で明治十六年に生まれているが、若い頃赤江川（大淀川の旧称）を泳いで渡り、未だ薄が原だった今の県庁周辺に遊びに行き、闇汁などやって騒いだ話をしていた。父が泳いで渡ったというのは本当だろうか。現在、大淀川の最下流・河口に位置する「一ツ葉大橋」は、九百三十三メートル、「橘橋」は三百八十九メートルだが、波状岩の川底が露呈する干潮時なら容易だったかもしれない。

初代橋橋ができたのが、明治十年の西南戦争後の明治十三年のことで、中村町の医師、福島邦成によって、はじめて赤江川に木橋が架けられている。橋賃は一人四厘(現在の二、三百円)だったから、父は橋賃を節約したのかなと一応考えてみたが、父の生まれた年に宮崎県は鹿児島県から分離、再配置され、この年邦成は橋事業の赤字を抱えて、橋橋を宮崎県に寄付しているので、橋賃はタダになっていたはず。しかも、当時、城ヶ崎と対岸の吾妻町との間に「城ヶ崎渡」があり、それを利用する手もあったはずだ。しかし、渡し賃も何がしかかかっただろうし、城ヶ崎から橋橋では遠回りになることもあり、父ら若いもんが粋がって川を泳いで渡ったのも理解できないことはない。西南戦争で、赤江川左岸に布陣した西郷軍が、桐野利秋をはじめ、対岸の中村町の花街へ川を泳いで通ったという話が残っている。

家の系譜は、必ずしも詳らかではない。仏壇の位牌を見るかぎり、八代将軍・吉宗公の頃まで遡れるが、前後左右の係累がはっきりしない。先祖は江戸時代、赤江港から千石船で大阪などとの交易に従事していたようだ。亡兄・寛之(俳号・哲哉)の話では、父も俳句をひねっていたという。『赤江郷土史』(昭和三十九年編集者・石川恒太郎)によると「赤江城ヶ崎、撞木の街よ、かねが無ければ通れない」と謡われ、殷賑を極めた当地には「城ヶ崎俳壇」なるものがあった。私は学生時代、この兄から俳句の手ほどきを受けたのだが、父の俳句がどんなものであったのか知る由もない。

父は当時の小学校を出ると就職、二十一歳で明治三十七年の日露戦争に従軍、復員して巡査を拝命、縁あって大正二年、朝鮮併合後の木浦府の吏員となり、水道事業に携わり、宮崎に水道の開通した翌年の昭和八年帰郷、宮崎市役所の水道局に籍をおいている。翌年私は生を得た。これで行くと水道の設置は、宮崎より木浦の方が少なくとも二十年も早いことになる。私は父が五十歳過ぎての子で、昭和十六年開戦の年、国民学校第一回生として入学する頃、父は病を得て床につき、七年間母の介護を手伝ったので、戦後すぐ亡くなった父との想い出は薄い。それでも入学前、父が元気であった頃は、浮之城や江平の西池によく鮒釣りに連れて行ってくれた。今の宮崎港近くにあった五厘橋の鯊《はぜ》釣りに行ったこともある。ただ、父から「家の系譜」や「赤江城ヶ崎の故事来歴」のことを聞いた記憶はない。聞き置くには、私は幼過ぎたということであろう。

城ヶ崎と吾妻町を結ぶ「城ヶ崎渡」は、関東大震災が起きた大正十二年、「赤江橋」へと姿を変えた。赤江橋は橘橋に次いで古い。この年、日豊本線が全面開通、かつて繁栄を極めたさしもの赤江港も、その役割を終えている。

ここで橋の話についてはタネ明かしをしておきたい。実は橋の話は、医師で郷土史家の田代学氏が著された『橋が語る宮崎』（平成十八年）を下敷きにしている。赤江川の呼称が消えて大淀川になるのは、明治の後期のことのようだが、赤江川は消えたが、橋の名前としては残った。そして、昨年架設の位置はかなり下流にズレているが、「赤江大橋」として見事復活を遂げているから、感慨一入《ひとしお》だ。

赤江橋は奇想天外のアイデア橋だったようで、架橋資金を公募、賃取橋で、橋の中央に霧島連山を見ながらの休憩茶屋があったというから愉快だ。霧島連山は、よく澄んだ日は橘橋から今でも遠望できる。残念ながら、この橋は木橋だったから、昭和十一年の台風で四代目も流失し、復旧ならず、吾妻町の一隅に「架橋碑」が現存している。数年前までは鉄橋の下流の川面に、干潮時には何本かの橋脚跡が見られた。大淀川で一旦架橋されながら、何回か流失し、復旧ならなかった今一つの橋に、右岸の太田町から県庁東側・本町通に通じる「本町橋」がある。この橋は、昭和二年、木橋の橘橋、赤江橋が流失、橘橋の三百メートルほど下流に、はじめは「橘橋仮橋」として、熊本工兵隊の架橋演習名目で架設された。この工事で殉職した二人の工兵の慰霊碑が、橘公園に建っている。干潮時には今なお本町橋の橋脚の残骸を何本も見ることができる。私の前述の掲句にあるのは、この橋脚のことである。なお、七代目・橘橋が今の位置に永久橋になるのは、昭和七年のことであった。

数年前、勤めていた会社のOBで、お世話になった東京の先輩が立ち寄られたことがある。初秋の頃だったが、橋公園でそれは飛切りの「大淀川の夕映え」を見た。先輩は川端康成の『たまゆら』に書かれた「夕映え」のことはご存じではなかったが、私には「たまゆらの夕映え」と重なり、二人してしばし呆然と立ち尽くした。先輩は時にお会いすると必ずこの時の「夕映え」のことを口にされる。それ以来、来客があれば、宮崎観光ホテル東館二階にあるレストランに、取り敢えず案内することにしているが、お天気はコントロールできないので、なかなかあれほどの「夕映え」に遭遇することがない。赤江城ヶ崎に生まれ育った父は「夕映えの赤江川」を幾度となく見たはずだ。

父のイメージである「赤江」を経糸に、川端康成のイメージの強い「夕映え」を緯糸にして、句作りを試みたが、散々ひねくり回してはいつも投げ出してきた。そもそもこの交錯した思いを、たった十七文字の一句で表現することにはムリがある。私の俳人としての力量はさておき、文芸としての俳句の限界かとほとんど作句を諦めていた。

暑い五月が来て、橋公園のロンブルで休んでいると、もう見慣れている「本町橋」

の脚跡がひょいと目に入った。見たままをそのまま書いたのが掲句である。私はこの句を得たことに満足している。私が師と仰ぐ金子兜太の句碑が数年前青島に建った。その兜太師が、「俳味」とは「人々の暮らしと季節の移ろいが溶け合って醸し出すペーソス（哀感）だ」と語ったことがある。ただ、俳句も文芸である以上、その「俳味」が自己満足にとどまらず、できるだけ多くの人々に共有され、支持される作品を作りたいと願っている。

線路であそぼー！

梅雨晴間の日、懐かしき城山をあとに、五ヶ瀬川を宮交の路線バスで遡り、高千穂に向かった。朝、宮崎駅から、八時過ぎの特急に乗ると、一時間ちょっとで、延岡駅に着く。

駅前の宮交のバスセンターで、時刻表を見て、宮崎市敬老バスカが使えるか聞くと、路線バスならＯＫ。ただし、所要時間は一時間半と、特急バスに比べて三十分も長くかかる。また、路線バスでも、国道２１８号線（延岡－熊本）の新道を行くのと、旧道を行くのがあることが分かった。旧道を行く十時発に乗車した。お客は私一人で、川沿いの風景がよく見えるように、左側の後方に席を占めた。このところ、雨マークが続いていたが、川の増水はそれほどでもなく、河川敷はかなり余裕があり、ゆったりとした流れだ。

旧道を行くのは、もう何年ぶりのことだろうか。延岡の会社勤務が長く、転勤で延岡を離れたのが、昭和六十年。高千穂行きは公私ともに、乗用車か高千穂鉄道を利用することが多く、バスを利用した記憶はほとんどない。しかもその頃はもう日之影バイパスができていて、全くの旧道行きではなかった。

私は昭和三十三年四月の入社だが、その頃は、入社して二カ月は「新入社員教育」期間で、座学と工場実習が厳しく行われ、それも先輩の指導員付きであった。その後六つの工場に配属され、そこでまた一カ月の工場実習が課せられていた。新入社員は一年間は、延岡にとめおかれたが、世の中が忙しくなるにつれ、はじめの二カ月の教育後すぐ、本社サイドに配属されるようになった。私は、「ダイナマイト部」に配属されたが、時の延岡工場長が辞令を読み上げると、「わー」と喚声が上がった。「ダイナマイト部」は、市街地から離れた東海地区にあり、仲間内ではあそこだけは、配属されたくないと言っていたからだ。

入社教育のカリキュラムには、時に息抜きの「レク」が挟まれ、貸切りバスで、青島の日南海岸や高千穂峡もセットされていた。私は宮崎市の生まれだが、高千穂は初体験だった。この時は全くの旧道を走ったと思う。国見ヶ丘で、雄大な阿蘇連山を前に、かっぽ酒で鶏の丸焼きを齧《かじ》ったことは、決して忘れることはないだろう。

川に架かる橋桁に、鮎の跳ねる絵が描かれた橋を過ぎ、だんだん川幅が狭まってくると、両岸の山が迫り、深い緑と青い空が川面に映り、水の流れも早く感じるようになる。平成十七年九月、台風十四号で、高千穂鉄道（ＴＲ）は、五ヶ瀬川に架かる四本の橋のうち下流の二本が流失し、壊滅的な打撃を受けた。

高千穂鉄道（ＴＲ）の歩み

昭和十年	旧国鉄日之影線として部分開通
昭和四十七年	同高千穂線として全面開通
昭和五十五年	同熊本県高森と結ぶ新線建設中止
昭和五十九年	同全線廃止対象路線となる
平成元年	第三セクター・ＴＲとして開業
平成十七年	台風十四号で被災、ＴＲは全線復旧存続断念

このままでは、観光など地域経済への打撃は計り知れずとして、高千穂町内の経済団体が中心になり、ＴＲの受け皿として、「神話高千穂トロッコ鉄道」を設立したが、国交省への認可申請が「乗客の需要予測・採算性」「開業資金の調達」の問題で行き詰まり、結局高千穂線全線は、平成二十年、正式に廃止された。

旧道を選択したのは、「高千穂線の逝きし面影」を追想したい欲求に駆られたからであった。鉄道は川の左岸から右岸へ、右岸から左岸へと、二度繰り返し、おおむね崖下を走り、川の左右の風景の移り変わりが四季を通じて楽しめ、「山紫水明」の日本有数の渓谷鉄道といってよい。しかし、そのことがまた、台風ごとに土砂災害が起きやすく、例年復旧費も嵩み、はたまた、車社会になって利用客も激減、その存立が危ぶまれる要因となってきた。川の右岸の鉄道敷は、雑木と雑草にすっかり覆われ、山は裾野を広げて自然に還っていた。ただ、支流の渓谷を跨ぐ小さな橋が、時々顔を出すので、それが昔を偲ぶよすがとなっている。

ちなみに、鉄橋は、本流、支流合わせて、百三本架かっていて、一つとして同じデザインのものはない。全国ではここだけとか。中でも、日之影町にある「第三五ヶ瀬川橋梁」と同町と北方町に架かる「綱ノ瀬川橋梁」は「A級近代土木遺産」ということで、ただ今保存運動が起こっていると聞く。宮崎県には国指定の「A級」が五件しかない。

旧道の幅員は三ないし四メートルぐらいで、七曲がりだから、バスがよく揺れる。少し車酔い気味になった。槇峰駅あたりから、川幅がぐっと左右の山に押されて狭まり、瀬は白波を立て、逆巻く急流の岩石には、なぜか鷺がとまっていた。だんだん深山幽谷といった風情がしてきて、少し陽が陰ってきた。日之影駅を過ぎると、旧道もここまで。坂を高く上り詰めると、幅員も広く、よく整備された新道を走ることになる。神々の里まであと十キロほどだ。

実は、今日の高千穂行きは、はっきりした目的があってのことだった。「高千穂あまてらす鉄道」の第五回定時株主総会に、株主として出席するためである。前述の「トロッコ鉄道」が行き詰まり、中核の観光協会などが出資から離脱する中、株主の一人として、会社解散に猛然と反対して立ち上がった人が、現社長の高山文彦氏（当時五十歳、本名工藤雅康、ノンフィクション作家、高千穂町出身）であった。氏は社名を「あまてらす鉄道」と変更（平成二十年）、新たに「鉄道公園化」構想を打ち出してきている。

私は、旧会社の支援金に、僅かながら応じていて、新会社の示した選択肢の中から、返還を求めない株主になった。高千穂線には思い入れも深く、その帰趨を見極めておきたかった。それと何より、作家・高山文彦社長がいかなる人物か興味があった。

バスはいよいよ、神々の山里を快走、遠くあるいは近く山々が重なり、真下に深い渓谷が展望される。

分け入つても分け入つても青い山
種田山頭火

大正十五年四月、山頭火は初めて熊本から日向路入りした。山頭火研究家の山口保明氏によると、その行程は、馬見原—三ヶ所—津花峠—押方—三田井（高千穂）—延岡と行乞をつづけ、宮崎へは開通したばかりの日豊線を利用したと推定している。山頭火は、今日バスで来た「旧道」を延岡に向けて通ったはずだ。掲句は馬見原から三田井への途中の作といわれる。句碑が高千穂神社にある。

岩戸川の渓谷を跨ぐ、水面からの高さ百五メートルが東洋一の「高千穂鉄橋」を右に見て、雲海橋を渡ると、「日本一　高千穂牛」と銘打った、牛の銅像が迎えてくれる。高千穂は畜産の町でもある。ほぼ定刻通りに無事終点に着く。運転手さんに、

「有り難うございました。（百円で）済みません」

「いやいや」

「ところで、乗るときも一人、降りるときも一人。いつも、こんな具合ですか」

「この時間帯は少ないですね。まあ、普通十人ぐらいです。北方町あたりからの高千穂高校への通学者もおります」

バスの走行距離は約五十キロ、バス停が六十カ所ほどあるそうだが、この間、老婆が一人、しばらくして、また一人婦人の乗り降りがあった。

総会の時刻まで、少々時間があったので、チャンポンを食べたあと、少し遠回りして高千穂駅跡地に寄って行くことにした。この街はなだらかな山の斜面に形成されていて、急な坂道が多い。前を小母さんたちがスイスイと上って行く。休み休み行く私は、ここで、はっきりと、足腰の衰えをいやというほど自覚することになった。駅の跡地は昨年から、駅舎や構内を中心に「高千穂鉄道ミニ公園」として、休日は一般開放されている。車両やトロッコ、カート、レールバイクなどの遊具、売店もある。鉄道歴史資料も展示してある。また、夏休みには「線路であそぼー！」などのイベントもやっている。

剣道着の銅像の建つ、総会会場の町立武道館は立派なもので、背景の山間からは夏霧が立ち込めて、少し時雨れてきた。

総会の出席者は、株主七人、漫画家・赤星たみこ氏（日之影町出身）はじめ取締役が七人、取材記者が三人だった。ところが、議長を務める肝心の高山社長が欠席、アテがはずれてガッカリした。「高山社長は、口蹄疫騒動の取材のため、長いこと川南町に入っておられ、もちろん本日は出席の予定でしたが、非常事態宣言下大いに悩まれ、高千穂入りを自粛された。申し訳ないが、事情ご賢察いただきたい」と報告がなされた。町の入り口にあったあの立派な牛の雄姿を思い出した。

会社の経営状況は決して良くない。ミニ公園やイベントの収入程度では、人件費など固定費をカバーすることはムリで、累積赤字もかなりの額に達し、資金繰りも逼迫しそうな感じだ。頼みは、町が検討中の「（高千穂大橋に至る）跡地利活用委員会」の結論待ちといったところ。町の事業企画とタイアップして、町の指定管理者となるか、NPO法人として、公的支援を得ながら、漸次公園化構想を具体化していくほかはないと思った。

それにしても、高山氏の郷土愛と執着心にはただならぬものがある。敬意を表しておきたい。

デジャービュ

マーシャル・マクルーハンという文明批評家が、メディア論で、「ラジオはホット、テレビはクールなメディアである」と言っていたのを思い出した。

三月十一日、午前中は母の三十三回忌の法事手配を終え、午後、テレビをつけたまま、もう習性となっている溜まった新聞の切り抜きをしていた。と未曾有の大震災が突如東北地方を襲い、アッと言う間に敗戦以来の「国難」を迎えることになった。

故三上謙一郎さんの労作『死者を追って』によると、宮崎の初空襲は敗戦の年の三月十八日のことで、私は国民学校四年課程が修了したばかりであった。その後、赤江の航空基地を狙った空爆は次第に猛威を振るうようになる。ちなみに、この飛行場作りには、私たち学童も勤労奉仕をした。それにつけても、五月十一日のB29による爆撃は凄かった。「いとし子の供養碑」で知られる附属小の学童をはじめ、市内各地で多くの犠牲者を出している。

丸山町の我が家でも爆弾の小さな破片が何枚かのガラスを破り、菜園にも多数散らばっていたのを後で知ることになる。病床にあった父は、日露戦争に従軍していて、日頃空襲警報がなっても防空壕に入ることをしなかったので、軍国少年の私は大いに父を尊敬していた。

その父が突然、「おーい、俺も入れてくれ」と言い出し、父を母とともに壕に担ぎ入れた。目に見えない放射線も無気味だが、曇天下の盲爆ほど恐ろしいものはない。我が家もこれを機に綾町に疎開することになった。疎開といえば、沖縄戦を前に、宮崎県は多くの沖縄学童疎開集団を受け入れていた。ラジオは、事前の空襲情報はよく伝えていたが、被害情報は「口コミ」が主体だった。福島原発事故の情報隠しが批判されている。お上のやることは、今も昔も余り変わりがない。

マクルーハンは、ヒトラーを独裁者たらしめたのは、ホットなラジオを通じたあの演説にあったと言っている。確かにベルリン五輪でのアナウンサーが興奮して「前畑ガンバレ！」と繰り返し叫ぶと、聴取者はホットな気分になる。しかし、この度の震災の映像は、とくに津波は妙に生々しく、リアルで十分に臨場感があり、激したアナウンスでなくとも、テレビもホットなメディアであることを証明したと思う。ヒトラーもテレビがあれば上手く使いこなしたはずだ。この日から、私の「日常」が消えた。

東京をはじめ、関東地方には、親戚、知友人も多く、電話、携帯、メールを駆使して連絡を試みたが、当然のことながらなかなか繋がらない。宮城県石巻市在住で、竹馬の友の生存を確認するのに一週間も要した。

福島県いわき市の小名浜には、かつて私が社長として六年間預かっていた製塩工場（本社・東京）がある。地理的にみて、被災したことは間違いないが、その被害の概要を知るのにこれまた数日かかった。津波こそ免れたが、液状化が起こり、設備類の損傷が激しく、復旧には多くの時間と多額の費用を要するという。おまけに、福島原発に近く、製品の風評被害も懸念され、復旧できても売れない心配がある。というのは、この工場は、海水をろ過して、「イオン交換膜」で塩分を集束・濃縮後、煮詰めて、製塩するプロセスになっているからだ。つまり「海水汚染」が致命的になる心配がでてきている。ただ、親しんだ百人近い従業員一同全員が無事であったことが何より嬉しかった。なお、いわき市と延岡市は、江戸時代の内藤家が縁で、平成九年、「兄弟都市」の締結をしている。

平成十一年三月十一日、私は親会社の会長と社長に面会、任期一年を残して、会長職退任を申し出た。決断の理由は後継社長によき後輩を迎え、引き継ぎも一通り終わり、かつ、八月には満で六十五歳に到達することから、この辺できちっとケジメをつけておきたいと思ったことによる。その日を期して、同年七月帰郷するまで、残務整理とお得意先はじめ関係先への退任挨拶回りがスタートすることになった。

私は、昭和四十八年四月十五日、小雨の残る払暁、延岡の社宅で火事に遭遇した。二軒長屋の隣家から火が出て全焼、着の身着のまま、家財道具や書籍類、思い出の品々などほぼ一切を失った。全焼は津波に似ている。母は脳血栓を患い、宮崎の生家から引き取り、奥の四畳半の部屋に伏していて、煙の充満する中、母を背負い、手探りで脱出することができた。家内は三女の赤ん坊を抱いて、まだ幼かった上の二人の娘を連れ出した。ところが、どういうわけか、母の部屋にあった仏壇だけが火傷も浅く焼け残っていて、「それみたことか。日頃の信心が肝心やぞ」と信心深かった母は得意気であった。母はそれから六年後「花祭の日」に逝った。箪笥つきの粗末な仏壇だが、何回か修理して、今でも父母は先祖の位牌とともにある。

火事の翌日、私は家内ともども、焼け跡を鍬で掘り返し始めたが、通勤の同僚が奇異な面持ちで眺めていた。社宅は戦後の造りだったのが幸いして、倒れた土壁の下で、写真やアルバム類が随分生き残っていた。爾来、知友人にも、「写真など大事な物は、カンカンに入れて、いつでも持ち出せるように。通帳などは後からどうにでもなる」とお節介をやいている。

被災地で、なかなか瓦礫の山が片づかないようだ。被災者の思い出の品の数々が埋まっていて、ブルドーザーでざーと除去することがはばかられているとのこと。ご先祖の位牌やアルバム類にまつわる話がよく放映されている。被災者の気持ちが痛いほどよく分かる。私も当時「過去を失った男」になったみたいで、一時「欝」症状を呈した。

私の任期中は、明治以来のお塩の専売制度が廃止、自由化され、数年後には、中国やオーストラリアなどからの「輸入塩の自由化」も控えていた。なお、ここで言う「お塩」とは食用塩のことで、工業塩とは区別される。日本の製塩業界は正に激動の時代を迎え、各社ともコストダウンや品質向上など、その対応に腐心していた。「イオン交換膜法」による製塩会社は当時七社あって、うち五社が瀬戸内に集中しており、当社は唯一東日本に立地していたので、長野・山梨・静岡以北、北海道までが当社の商圏であった。

お塩は重量物だから、物流費が嵩む。しかし、東日本を商圏とする当社が常に有利とは限らない。ユーザーの近くに港があれば、瀬戸内の他社も競争力がある。社長の年中行事は、どこでも同じだが、年末、年始、新年度と、最低年三回のお得意さん回りは欠かせない。クレームが発生すれば、何はさておいても駆けつけるということになるのは、どんなビジネスでも同じである。私は、仕事に必要な知識、知見はもとより、マネジメントの基本は、「人間理解」だと心得てきた。「百聞は一見に如かず。百見は一触に如かず」だ。

四十二年間、サラリーマン人生をやってきて、「さよならだけが人生よ」の時を迎え、退任挨拶回りの旅は、さすがに感傷に満ちたものになった。各県にある元売さん、直売のメーカーさん、その他関係先百社近くを集中して回った。六月九日、四国の関係先を訪問、新婚旅行で立ち寄ったことのある屋島寺を詣でて、ふと句がすーとでてきた。

山つつじ腹でたる人の遍路かな　　康之

屋島寺は八十四番目の札所で結願まであといくつも残っていない。それにしては「腹出たる人」とは可笑しい。俳句は学生時代、亡兄・寛之（俳号・哲哉）の手ほどきを受けたが長い間休んでいた。兄は自作をいつも送ってくれていたので、俳句に無縁ではなかった。

芭蕉は『奥の細道』で、この度の被災地に親しんでいる。元禄二（一六八九）年三月、江戸・深川を出た芭蕉は、同年四月には須賀川―郡山を経て、五月には福島―仙台―塩釜―松島―石巻―平泉―山寺―山形と旅をした。

松島やああ松島や松島や　　芭蕉

松島は日本三景の一つ。対岸の松島町は、他の沿岸部に比べ震災の被害が比較的軽微であったと伝えられる。内湾に浮かぶ島々が津波の緩衝材となったようだ。

芭蕉の『奥の細道』はまた、私の「お塩の営業の道」でもあった。屋島での発句以来、調子にのって、挨拶回りの先々で「挨拶句」を作った。

◇会津にて（6・17）

梅雨晴や磐悌山から塔が生え

◇新潟にて（6・24）

五合庵燕三条梅雨景色

◇花巻にて（6・25）

どの灯かが山猫のはず賢治が夏

◇山形にて（6・28）

山寺や緑したたる甍かな

◇気仙沼にて（6・29）

尾を立ててバンジョの鰹躍られゆく

◇平泉にて（6・29）

衣川芭蕉の名句なぞりけり

◇兄の墓参（7・3）

黒南風や哲哉を連れて帰りなん

七月二十三日、大暑の日、妻同伴で再び宮崎空港に立つことができた。かくして私の感傷旅行は終わった。私は、生来過去を振り返ることは、余り好きではない。「デジャービュ」（既視感）。今次東日本大震災は、否応なしに、これだけのことを書かせてくれた。

末筆ながら、今次大震災での犠牲者の方々のご冥福をお祈りするとともに、被災者の皆さんに心からお見舞い申し上げます。

春の山瓦礫の山の彼方《あなた》かな　　康之

昨日、今日、そして明日

今年初めのことだった。私がかつて勤めていた会社の集まりで、旭化成労組・中原和雄延岡支部長から次のような話があった。

「鈴木さん、五月ごろ空けとってくれませんか。実は、全国火薬関係労組の連絡会議が延岡であっとです。吉岡さんや鈴木さんたちが、前に取り組まれたニトログリコール薬害対策の話をやってほしいんですわ」

「へー、もう半世紀も昔の話。今ごろ何ね。まあ、役に立つことならいいよ」

と余り深く考えることもなく、後輩の申し出でもあり、気楽に引き受けた。もう記憶も大分薄れてきている。さりながら、東京から帰郷して、幸い七年前、同志諸氏と「ニトログリコール薬害の記録　火薬労働者の職業病との闘い」の記録誌（非売品）は作ってあった。言いだしっぺは、薬害発生当時、当該火薬工場の火薬労組組合長であった吉岡市三郎さん。その吉岡さんの下で私は専従書記長であった。

吉岡さんから「記録誌」編纂の話があった時、私は正直余り乗り気ではなかった。

同誌の編集後記には次のように書いている。

「今ごろ本を編んでみても読んでくれる人がいるかなと率直に思った。しかし、吉岡さんの執念にほだされて、お断りすることができなかった。おかしなもので、膨大な資料を漁り、編集委員で議論を重ねるほどに、段々熱っぽくなったのは、私だけではなかったと思う。心ならずも殉職された方々のためにも、きちっとした記録を残すことが、当時対策活動に携わった私たちの責務だと思うようになった。また、技術開発や効率化の進め方について、後輩の人々に、安全・衛生・環境面でいくばくかの参考になればと思っている」

編集委員会の初会合は、平成十六年一月に開き、その後は毎月一回、一年かけて何とか発刊にこぎつけた。編集委員長の吉岡さんは当時八十六歳、現在介護入院、加療中である。編集委員は薬害対策に携わった松本学さん、花田犬一さん、津田明一郎さん、それに私、いずれも当時古希前後。加えて現役の福良誠一さんの計六人で、私はその都度宮崎から列車で延岡に通った。討議の叩き台になる原稿と最終原稿は、私の後継書記長であった松本さんがすべて執筆した。

延岡は南北の山で囲まれ、北から北川、祝子川、五ヶ瀬川、大瀬川の清流が延岡湾に注ぐ、山紫水明の旧内藤藩七万石の城下町。大正十二年、この地に日本窒素肥料（社長　野口遵、現旭化成）が延岡工場を立地して以来、各種薬品、化学繊維、合成繊維、産業爆薬などのコンビナートを形成。戦後、最盛期には、従業員は市の人口の一割、一万三千人を超え、その家族に加えて関係会社や協力・購買会社など入れると、言うところの企業城下町に変貌した。ちなみに日豊線は同年開通している。

火薬工場（約千四百人）は、東海地区・北川河口近くの山間にあって、昭和七年、ダイナマイトの製造を開始している（余談ながら、休日には、この河口でよく釣りを楽しんだ）。ダイナマイトは、後に「ノーベル賞」を遺したアルフレッド・ノーベルが十九世紀半ばに発明した。ダイナマイトの主成分はニトログリセリンで、極めて鋭敏な物質。ちょっとした衝撃や摩擦で大爆発を起こす。従って、その製造、販売、貯蔵、消費、廃棄等については、「火薬類取締法」によって厳格に縛られ、当時の通産省の監督下にあった。ダイナマイトの製造は工程ごとに独立し、土塁が周囲に築かれていて、不慮の爆発事故に備えている。「安全」が何より優先される職場で、従業員も細心の注意が必要であった。

「薬害問題」は、昭和三十四年十一月、東京で開かれた「全国産業火薬労組連絡会議」から帰任した吉岡組合長によってもたらされた。私は前月書記長に選出されたばかりで、大いに面食らったことを覚えている。同会議で、日本化薬労組厚狭支部長から、「今年になって男性が二人、出勤直前に突然、胸をかきむしり、苦悶しながら心臓発作で急死。職場では頭痛等を訴える人が急増している」と問題提起がなされた。延岡でも近ごろとみに「頭が痛い」とか「酒が飲めなくなった」「動悸がする」と訴える人がいるが、しかし、そのようなことは昔からあったこと。組合として取り上げるまでには至っていなかった。

吉岡組合長の報告を受けて、早速関係職場の聞き取り調査をしたところ、五カ月前に塡薬工室の女性が狭心症に似た発作で死亡していることが分かり、ショックを受けた私たち執行委員会は、会社に対し関係職場の実態調査と特殊健康診断を緊急に申し入れるとともに、翌年には執行体制を薬害対策にシフト、私は薬害対策専従に任命され、二十五歳と血気盛んなころ、文字通り寝食を忘れることになる。当初慎重だった会社も、事の重大性に反応、極めて協力的になり、関係労組で共闘会議を立ち上げ、各労組の上級団体や支持政党を巻き込み、当時の労働省を動かし、中央労働審議会や労働科学研究所など関係機関が積極的に関与することになった。

薬害の原因は、その後の医学的研究の結果、ニトログリコールが真犯人であることが突き止められた。ダイナマイトの主成分はニトログリセリンだが、保安の見地から凍結防止剤として、早くから、ニトログリコールが一〇～一五パーセントほど配合されていた。ところが、ニトログリセリンと比較して爆発威力は変わらず、石油化学の発達でコストも格段に安く、近年その配合率が六〇パーセントにまで高められていた。ただ、物性としてニトログリコールから発生するガス量は、ニトログリセリンとは比較にならないほど多い。特に気温の高くなる夏場が問題。また、ガスは呼吸より、皮膚を経由し多く吸収されることが分かった。症状としては、頭痛、めまい、嘔吐、四肢のしびれ、肩凝り、胸部圧迫、胸絞り、狭心症状様発作（致死）など。また、障害として、血管拡張による血圧低下、心臓循環機能障害、肝機能障害、自律神経障害などが挙げられる。

ニトログリコール関係作業従事者は、旭化成、日本化薬、日本油脂それぞれ約五百名、合わせて約千五百名であったが、三組合共闘会議で実施した「統一健康調査」によると、約六割の人が「自覚症状」を訴えていた。この「統一健康調査」は薬害問題の終息宣言がなされた昭和五十一年まで続けられ、会社や行政に対する組合諸要求の基礎となったばかりか、労働科学研究所などの医学的究明に資するなど威力を発揮した。

会社と労働省の対応は、今日振り返ってみても、真摯かつ迅速であったと評価される。労働省は各種審議会を経て、昭和三十五年末には、「ニトログリコール予防の緊急措置」を発し、配合率の引き下げ、マスク、手袋などの保護具の着用、ガスの定期測定、健康診断、異状者の配置転換や時間短縮を指示し、翌年五月には労働基準法上の「職業病」に指定している。また、会社は、製造工程の自動遠隔運転化や成型包装作業の機械化など作業環境改善を逐次実施した。労災認定死亡者は、旭化成・六人、日本化薬・五名、日本油脂・一名を数え、認定重症者は旭化成・十八人となっている。

悪いことは重なるもので、薬害対策活動中、昭和三十六年二月、ニープマン（火薬押出機）の爆発事故が発生、四人の殉職者を出した。私は書記長任期二年の間に、薬害殉職者六人と合わせて十人の尊い犠牲者に遭遇したことになる（合掌）。このことが、私が新設の生産対策部長として、全旭化成労組連合会本部入りをする動機となり、その後の会社人生の原点となったものとして感慨深いものがある。

去る五月二十五日、火薬労組連絡会議が、旭化成労組会館ホールで、九労組幹部・約五十名を集めて開催された。私たちの出番は、議事終了後午後五時から約一時間半で、「ニトログリコール薬害の記録著者講話」と題して行われた。基調講話は、「記録誌」の原稿執筆者であった松本さんが、記録誌に沿い、プロジェクターを使って行い、こもごも若干の質問に答えたが、意外にも結構な拍手を頂戴した。今回の企画は福島原発事故で、「安全意識」の高まりがあったからかも知れない。

「組合主導で、闘いが成功した希な事例だと思うが、なぜそれが可能だったのか」

「ダイナマイトは危険な特殊な製品。前々から連絡会議をもち、安全対策など情報の交換、交流する風土があり、薬害発生で、共闘会議が果たした役割は極めて大きい。組織を超えた火薬労働者連帯の賜物です」

その当時、労働界は、路線の違いから総評と全労に分かれていて犬猿の仲。世情は安保改定反対闘争や三池炭鉱争議などで騒然としていた。日本化薬と日本油脂の労組の上級団体は総評に、旭化成労組のそれは全労に属していたので支持政党も別々。従って、両者の共闘会議は唯一のものだった。リーダーだった吉岡組合長は技術屋で、常に現場を踏まえ、組合員の信頼も厚く、人格、識見ともに得難く、この人がいなかったら、共闘会議も労使交渉もうまくいったとは到底思えない。

その吉岡さんが記録誌の巻頭で、「兆候はあったのに、なぜ防げなかったのか。労使ともにもっと早期に突っ込んだ取り組みをすべきではなかったかと悔やまれる」と書いておられる。私もそう思う。ただ、検証してみると、労働省は早くから、ニトログリコール中毒による米国での死亡例（三十七人）を承知しており、情報を放置した責任は極めて重いと思う。公害とは異なり、職業病は直接生産を阻害するから、所管の通産省を通じて関係する会社に、情報が伝達されていたら予防できたはず。未だに縦割り行政の弊が見られるのは、何とも不幸な「この国のかたち」と言うほかはない。

なお、平成十年、火薬工場は日本化薬厚狭工場と経営・生産統合、需要減でダイナマイト製造を中止した。ただ、火薬工場構内では今年も八百本の桜の花が一般公開され、多くの市民を迎えた。

column

雛山まつり

今年も３月３日、綾町の「雛山まつり」に行った。綾は疎開先でもあったので、11月の川中神社の大祭とともに欠かしたことがない。一の鳥居からバスに乗って綾の宮交の待合所までおよそ４、50分、乗客は私一人、見事に客の乗り降りは一人もなかった。雛の日は「まつり」の最終日で混雑を予想したが、平日のせいと車の時代というわけか。「まつり」はそこそこ賑わっていた。

展示会場は20か所もあるから、一巡するとかなり草臥れる。帰って歩数計をみたら約１万６千歩を記録、仰天した。昨年の日誌をみると約１万１千歩とある。昨年とほぼ同じ道程で５千歩の差がある。チェックしたが器械が故障しているわけではない。私の歩数計は歩幅60センチでセットしてあるが、歩幅が40センチに縮んだ計算になる。

終ひ雛五人囃子も疲れ気味

三の扉

壮心已まず

私の愛したコンビニ

「いよいよ明日までね」

「はい、そうです」

「ご苦労さん。お世話さんでした」

「いえいえ、こちらこそ大変お世話になりました」


夜勤専門のK君とは、在宅時は朝食後必ず立ち寄るので随分親しくなっていた。K君は何でも大手の会社に勤めていたが、事情があってこの仕事に就くことになったらしい。それ以上の戸籍調べは控えてきた。明るくてスポーティーな好青年である。こうして、私の愛したコンビニのファミリーマート一の鳥居店は昨年二月末をもって閉店した。

この店は、宮崎神宮表参道に面し、NHK宮崎支局の、参道をはさんでちょうど左斜めの角にあった。閉店後貼られた入居者募集のポスターを見ると、店の築年・入居日は平成九年十月とあるから、店の寿命は十五年ほどであったことが分かる。店は拙宅から東に約四百メートル、歩いて五分ぐらいの所にあったから、大変重宝であった。ちなみに、よく晴れた日は途上、西方に道路幅の高千穂峰が望見できる。

私は地元紙は宅配でとっているが、全国紙はこの店で買っていた。ひところ、「日本インターネット新聞」に寄稿していたので、朝食後引き籠もり勝ちになるのを防止する目的もあった。店前の郵便ポストの存在も大きい。そして、他に予定がなければ、この店を起点として、片道約一キロの神武さんへの散歩を始めるのが常であった。

医師で郷土史家の田代学氏によると、現在の一の鳥居から宮崎神宮に向かう参道（県道宮崎大宮線）は、明治のころから「桜馬場」と呼ばれ、桜の並木があったとのこと。昭和六年に参道が拡張舗装され、その時、桜は取り除かれた。ところが、昭和八年に至り、「神武天皇東遷紀元二千六百年記念」として、「チカラシバ」（ナギの木）が植樹されたという。なお、桜馬場と関連があるのか、現在育成牧場の競馬場は、大正十二年、全国十一カ所の公認競馬場として認可されている。

ナギ（椰）は、古来神木とされ、植樹当時二百二十三本、樹齢は当時四十五年とあるから現在百二、三十年にもなる。樹高は二十メートルにも達するが、病虫害に弱いとされ、先日数えてみたら、百五十八本に減っていた。私の長年の友人で、「森林インストラクター」の資格を持つ末広坦君が東京からわざわざやって来て、「宮崎神宮のようにナギの大木が列植され、壮観を呈しているところはありません。大変珍しい」と語っている。

私の愛するコンビニの閉店の理由は容易に推定できる。業績不振ということ。まず、平成二十二年十一月には、拙宅から南に歩いて約十分の所に、小振りのスーパーができた。翌二十三年二月には、今度は、拙宅から西に約四分の船塚町にコンビニの競合店セブンイレブンが出現した。おまけに、私の店は、間口が十メートルほどで、売り場面積も競合店の半分以下。駐車場に至っては、前者が一台、後者が二十台とスケールが段違いで話にならない。コンビニの場合、業績は七割方立地条件で決まるといわれていて、徒歩でも車でも、一次商圏は五分、二次商圏は十分とのことだから、NHK関係者や近くの大宮高校の生徒たちが固定客に留まっても、一般のお客が競合店に流れるのは止められない。結果は明らかであった。

私は、朝刊を手に参道を北上、参拝のあと東神苑の天然記念物・大白藤のある藤棚の下で、寄稿文の構想を練った。また趣味の俳句の半分はここで作った。帰りは赤い鳥居の「五所稲荷神社」に参り帰途についた。「神武の森」は、今でも宮崎市のランドマークの一つ。

境内の広さは約七万六千三百坪もある。都市の中心部でありながら、これだけの緑の空間があるのは、明治神宮を除いて全国でも希なケースと評されている。樹種は照葉樹の樫、楠、椎が多く、鳥類は鴉、鳩のほか四季とりどりの野鳥の宝庫である。それに池の鯉、鶏や野良猫もいる。

「宮崎神宮略記」によると、明治になって初め宮崎神社となり後宮崎宮、官幣大社・宮崎神宮となり、戦後は社格は廃止されている。幕藩時代は、延岡藩の差配下にあった。麦飯男爵こと高木兼寛が宮崎宮の神域拡大整備に力を注いだことは特筆される。

調べてみると寛政四（一七九二）年尊王家・高山彦九郎が、『日本九峰修業日記』の著者で佐土原の修験者・泉光院野田成亮《しげすけ》が文化九（一八一二）年旅立ちに参拝している。昭和五年秋、俳人・種田山頭火は、二度目の宮崎入りをして、宮崎神宮に参拝、江平の「大盛うどん」を食べている。著書『行乞記』には次のような記述がある。

「普通の蕎麦茶碗に一杯盛ってたった五銭、お代りするにはよっぽど大きな胃の腑だ、味は悪くもなければ良くもない、とにかく安い、質と量と共に断然他を圧してゐる、いつも大入だ」

私はスーパーの経営に三年ほど携わったことがあるが、コンビニのそれはスーパーとは比較にならぬほど厳しいビジネスだと思う。便利さを最大限に追求している。食料品、日用品など緊急度の高い商品をそろえ、年中無休、二十四時間営業、最近では公共料金の振込、宅急便の取り扱い、ATMまで備わっているところもある。

私の場合、日用雑貨の他は缶ビールと摘み類、それと多忙時のいわゆる「中食」。あとは新聞、雑誌類と言ったところ。利便性の追求は、戦後主婦の家事労働の軽減化から始まった。三種の神器は「白黒テレビ、洗濯機、冷蔵庫」、次いで新三種の神器「カラーテレビ、クーラー、自動車」（3C）、デジタル三種の神器は「デジタルカメラ、DVDレコーダー、薄型テレビ」等々枚挙にいとまがない。

昭和四十九（一九七四）年には、日本初のコンビニエンスストアがオープンしている。今日、大手十社の総店舗数は四万八千店を突破、地場のコンビニまで含めると五万店を超えるという。平成二十四年度の総売上高は、百貨店の六兆円余を優に上回り九兆円を超える勢いだ。十二兆円余のスーパーとの差は縮まってきている。コンビニの出現は間違いなく、われわれ日本人の市民生活の有り様・生活パターンを劇的に変えたように思える。帰郷して十三年、私はこの閉店した小さいコンビニと共に生きてきた。

ここに田代氏から頂いた、一葉の航空写真のコピーがある。昭和八年のものだ。旧制宮崎中学校（現大宮高校）の校舎群と今は無き弦月湖が懐かしい。一の鳥居の所で三叉路になっている。神宮表参道の幅員が断然大きく、まっすぐ北上する佐土原往還（今の10号線）や権現町へ右折する豊後街道の三倍から五倍もある。

私の父は赤江・城ヶ崎の出だが、大正二年巡査を依願退職、縁あって朝鮮の木浦府の水道局に勤めた。ところが、昭和八年宮崎市に上水道が敷設され、同年帰郷して宮崎市水道局に奉職した。経験を買われてのことだろう。その際今の拙宅を求めたが、航空写真を見ると参道脇の丸山町のわが家の周辺は大方畑地になっている。私は翌昭和九年ここで生を得た。だから、参道は私にとって、少年時代、青春時代そのもの。神武さん最大のイベントは今も昔も秋の神武大祭「御神幸祭」だ。

ＮＨＫ宮崎支局の地には、実は私の母校があった。江平の校舎が戦災で焼失したので、戦後軍の司令部があったこの地で、私たち国民学校第一回生は第六国民学校の最後の卒業生となった。新制西中学校は第一回、新制大宮高校は第五回卒業生だ。参道の今一つのポイントに、五重の塔のそびえる真栄寺がある。真栄寺はお西さんだが、幼少時よく母に連れられてお参りした。今も梵鐘に親しむ。三年前この境内に俳人・金子兜太師の句碑が建った。何でも真栄寺と兜太師の長いご縁によるとのことだった。

谷間谷間に満作が咲く荒凡夫　　兜太

兜太師の句碑は県内には今一つ青島の亜熱帯植物園内にある。

ここ青島鯨吹く潮われに及ぶ　兜太

真栄寺さんは、保育園、幼稚園も経営され、節季ごとのお寺の法要も手厚く、よく布教活動に勤しまれておられるように思う。真栄寺さんの向かい側に、府味田（フミタ）という写真館があった。私の国民学校入学記念の写真はここで撮った。現在の参道にはこの他、県生活情報センターや県立東高校、市北部老人センター、宮崎市青少年プラザなど公共施設も多い。参道の周辺には「進学塾」が結構目立つ。また、ブレストピアなど病院、医院も立地している。栄養軒というラーメンの繁盛店もある。

コンビニから裏通りに至る「丸山ふれあい広場」のことも落とせない。約三百坪に東屋付、桜が八本あったが、このほど、一の鳥居にあった交番が移転してきて、六本に縮まった。この公園ではよく野良猫の親子が屯していて、コンビニで「ねこ元気」を買い与えた。交番が来てから、どういうわけか猫の家族を見掛けなくなった。

私の愛したコンビニが閉店となり、私は大切なものを一挙に失った思いがしている。「たかがコンビニ、されどコンビニ」である。何と言っても神武さん散歩コースが激減した。日誌を見たら、毎日の歩数が加齢もあるだろうが二割方落ちている。恐らく反論があるはずだ。西にできた競合店で用を済ませて参道に戻ればよいと。物色する時間を含めて、拙宅から競合店往復十五分余のロスタイムは貴重である。人間それで、それからという気分にはなり難い生き物なのだ。止むなく今年になって自転車を使い始めている。

「元気でね。再就職先は決まったの」

「いえ、まだです」

「昨日撮った記念の写真よ。幸運を祈る！」

「有り難うございます」

K君には、レジに立つK君と私の愛した小さなコンビニ店の全景写真を手渡した。

なお「神武の森」などについては『神武さま』（元宮崎神宮宮司・黒岩龍彦著）を参考にした。

蛍の光窓の雪

　五月十六日㊎晴、十三時四十四分。一風変わった「ある同窓会」に出席するため、宮崎駅西口乗車、延岡駅行きのＪＲ高速バス「ひむか」（四十座席）に初乗りした。運賃は千九百円也。所要時間はこの区間で一時間五十一分と案内されている。宮崎─延岡間の直行バスは、三月十六日待望久しい高速道路が全通したことにより、十六年ぶりに復活した。

　この日の乗客は私を入れて四人だった。高速バスは宮崎大橋を渡り、宮崎西バイパスを経て宮崎西ＩＣで東九州自動車道に乗る。大淀川を渡るとすぐ周りに何もない中山間地域を走りいささか退屈。片道一車線ながら思ったより交通量が少ない。車窓に映える若葉・青葉を眺めていたら、先日出席した綾での同窓会のことを思い出した。私は綾には特別な思いがある。

　四月二十日㈰雨、十二時。綾川荘にて「綾中学校第三回卒同窓会」に初めて出席した。生憎の雨であったが、周りの若葉が生き生きと輝いて見える。この同窓会は綾国民学校・綾中学校に一時在籍した者も含み、私は戦時中五年生時、綾国民学校に疎開で在籍していたので出席する資格があった。会長格の長池嘉見君からは毎年出席の誘いがあったが、終戦の年・昭和二十年の六月から九月までのわずか四カ月の在籍であったので出席することにためらいがあった。ところが今年の案内状には傘寿を機に同窓会を今年で解散するとあり、今度が最後かと思うとにわかに込み上げてくるものがあって、あわてて出席の返事を出した。私の所属する定例の「俳句会」を急遽キャンセルした。

Ｂ29の爆弾が丸山町の自宅近くにも落ちるようになって、縁を伝って綾の古屋地区に疎開することになった。寝た切りの父をリヤカーに乗せ、母が引っ張り私は後から押して六里の道を急いだ。何でも綾は一ツ葉海岸沖からの米艦砲射程圏外という話だった。一ツ葉海岸は志布志湾とともに十一月ごろには米軍が上陸する予定地であったことを戦後知ることになる（オリンピック作戦）。

最後の同窓会は五十九人に中学の恩師の先生がお二人。開会の辞に続き、級友で川中神社の栄福保宮司が傘寿の厄除けのお祓いを執り行った。私は同窓会への出席は初めてだが、実は綾には足繁く通って来ている。十一月の川中神社例大祭、三月の雛山祭りはほとんど欠かしたことがない。友遠方より来たりなばエコパークの照葉樹林・

大吊橋、酒泉の杜等々観光案内をしている。川中神社は古来神仏混淆の神社である。

神楽舞ふ神去り月の阿弥陀堂　康之

挨拶やスピーチが続いて、と突然の指名を受けて大いに狼狽えた。急かされて止むなく立ち上がり、七十年ぶりの再会のお詫びと案内への御礼を述べた後、長い間気に掛かっていた「尋ね人」をした。疎開して間もなく川原で級友との「真昼の決闘」を強いられ、虚弱児だった私は必死に取っ組み、しばらくして見守っていた上級生が引き分けてくれたことがある。街から来た子に対する通過儀礼だったようで、その後その級友とは鮎釣りなど教えてもらい随分親しくなった。つと級友の一人が席に寄って来て「古屋地区の同級生なら中原君しかいない。彼は本庄高校定時制在学中に盲腸を患い、手遅れにより十九歳で亡くなった」と教えてくれた。急に気の抜けた気分に襲われ、物悲しく、一人で今は亡き中原君に献杯した。

傘寿を機に解散する同窓会が多くなっている。昨年十一月には私たち大宮高校第五回卒の同窓会が幕を閉じた。当日はデューク・エイセスの谷道夫君も出席、朗々たる声量に圧倒されて、どうしてあんな声が出るのか聞いてみたら、やはり毎朝発声練習を欠かさないとのこと。さすがはプロだ。谷君は本名は桑原道士と言い佐土原出身。高校時代私の隣家に住んでいたことがある。二年後結成六十周年記念公演をやると張り切っている。

五月末には大学のクラス会がこれまた傘寿名目で解散した。最後のクラス会は世界遺産・臨済宗総本山天龍寺で、精進料理を頂戴した。出席者は二十一人、うち三人は夫人の介添え付であった。

緑滴る嵯峨野嵐山天龍寺　康之

今秋にも中学校のクラス会が、やはり同様の趣旨で解散する予定。唯一存続するのが「第六国民学校」（現江平小学校）のクラス会で、何より担任だった北野一郎先生（九十四歳）がご健在なのが継続できる原動力になっていて、喜ばしい限りだ。

高速バスは都農町から日向市に入る頃から展望が開け、美々津の灯台も望見できて、かつ日豊線や国道10号線も見え隠れしてホッとした気分になる。延岡ＩＣで降り、県立延岡病院など市街地を一巡して終点の延岡駅前にほぼ定刻に到着。今日の「同窓会」の事務局長を務める有村誠・有村鋼材商会社長の出迎えを受けた。高速道路が全通して間もなく、清本英男延岡商工会議所会頭から、「県北フォーラムの同窓会をやりましょうや」と声が掛かった。「地域振興の担い手になろう！」と呼び掛けて、「県北フォーラム」を開催したのはもう三十年も昔のこと。さりながら、高速道路の全通に接し、ちょうど私も当時の情熱を思い起こしておったところであった。

発想から一年、半年掛かりで下から積み上げて来た「県北フォーラム」は昭和六十年九月、延岡のセンチュリー平安閣で開催された。テーマは「自立・連帯――新世紀をめざして県北の地域経営を考える――競争・調和」と題して、主催は宮崎経済同友会、延岡・日向青年会議所、後援は新聞各社、延岡・日向商工会議所に加えて門川町ほか県北十一の商工会を網羅し、さらに松下政経塾の特別のご協力を頂いた。「フォーラム」の実行委員の数は十三地区の実行委員を合わせて約三百人に上り、今考えてみるとかなり大掛りなイベントであった。実行委員の構成は、農・漁・林・工・商・行政と多様な集まりで、政治家は一人も含まれていない。この実行委員会の元締め的存在だったのが、前述の清本会頭。会頭は当時家業の鉄工業の経営に携わりながら、行動力抜群、頼れる壮年実業家だった。

当日は、県経済同友会副代表幹事であった私が主催者代表挨拶、次に協力団体の久門泰松下政経塾塾頭挨拶。はじめに東京、大阪、福岡で県北出身有識者を集めて行ったフォーラムの報告。続いて各地区フォーラム代表が「主張」を発表後、全体会議・討論を行った。当時著名な評論家で松下電器技術顧問でもあった唐津一氏には基調提言並びに総括講演を頂き、最後に地場産業の振興や高速道路整備推進などの「県北フォーラム宣言」を採択して閉会した。後日県北一円で高速道路促進の署名運動を展開、建設省（当時）はじめ関係方面への陳情活動を行った。

「県北フォーラム」発想の背景は、昭和五十年代、宮崎国体の開催を機に宮崎市周辺・県央の発展がめざましく、県北地域の振興が強く叫ばれていたことによる。県央では県総合運動公園建設と周辺道路網の整備。宮崎空港の拡張や宮崎港新設、宮崎大学の移転とサンテクノポリス学園都市の建設、移転跡地に県総合文化公園建設と相次いでいる。それに引き替え、目玉の日向・延岡新産都市建設の核となる工場誘致ははかどらず、県北住民の危機感、焦燥感は頂点に達していた。なかんずく「宮崎自動車道」（えびの―都城―宮崎）が「九州自動車道」から分岐、開通したことにより、「北は夕暮れ」とか「陸の孤島」とか自虐的な言葉が流布されていた。

「フォーラム同窓会」には、首藤正治延岡市長をはじめ当時延岡・日向地区の青年リーダー格だった人、それに松下政経塾から派遣され、各地区に入り込み調査研究、アドバイザーを務めた佐賀の横尾俊彦多久市長（塾一期生）、鹿児島の打越明司元衆院議員（塾二期生）も出席、現役の延岡ＪＣのメンバーを加えて十八人が参集した。今一人の塾生だった愛知の鈴木淳司衆院議員（塾三期生）からは祝電が寄せられた。

三十年経った今日、わが国は少子高齢化が一段と進展、日本全体が「限界国家」と言われるようになってきている。地方都市だけでなく大都市もそれぞれ困難な課題が山積。先日発表された日本創成会議の報告書は、「二〇四〇年までに、日本の市町村の約半数・八九六カ所が消滅する可能性がある」と指摘している。同会議の増田寛也座長（元総務相）は「地方への逆流をめざせ」と呼び掛けている。さはさりながら、例えば高速道路というインフラが地域振興にどう活かされるか、これはもうそこに住む人々のありようだと思う。首長はじめ行政サイドのリード、サポートも欠かせない。

今回の「フォーラム同窓会」では席を離れ、お互い手を取り合って往時を懐かしむことひとしきり。しかし次第にこれからの地域社会のありように話が向かい、今こそ「県北フォーラムの精神」を次世代へ引き継ごうとの熱い思いがこもごも吐露された。首藤延岡市長は「松下政経塾の皆さんから刺激を受け、政治への道に入るきっかけの一つにフォーラムがあった。東九州高速道路は三十年前からの重要なテーマ。時間はかかったが、日の目を見ることができた。来年度中には延岡―北九州間も繋がる予定。次は九州中央道（熊本―延岡）の早期実現を目指したい」と語った。

最後に、当フォーラムの推進にご尽力いただきすでに鬼籍に入られた先輩諸氏、同志の皆さんのご冥福をお祈りしたい。併せて他に優先して行き届いた支援を送っていただいた、同期で高校同窓、戦後隣家の友でもあった故久門泰初代塾頭の霊へ本稿を捧げることにしたい。

さみだるる五ヶ瀬川に遺す畳堤　康之

さいたま俳句紀行

俳句結社「海程」（主宰　金子兜太）の第五十三回全国大会が、今年は主宰の地元である埼玉県熊谷市で開催され参加した。昨年の箱根大会は、参加申込み後白内障の手術が入りキャンセルした。兜太師にお会いするのは二年ぶり、一昨年の長崎大会以来であった。

「宮崎の鈴木です。先生、ご健勝で何よりです」

「おお、久しぶりだな。元気か」

「ちょっと、眼を悪くしておりまして」

「そりゃあいかんな。少し肥ったんじゃないか」

「はい、運動不足になりまして」

兜太師とは個人的に特別親しい間柄ではないが、ずっと前に師の句碑を青島に建立した際世話人の一人だったこともあり、お会いする度にご挨拶をしてきた。

数ある俳句結社の中で「海程」を選択、入会したのは、俳誌巻頭にある「古き良きものに現代を生かす」というコピーと兜太師の自由な生き様に共感したからであった。爾来十五年が過ぎた。また俳誌の同人に推挙されて十年目を迎えた。退役、帰郷してすぐ「俳句でもやってみるか」と始めたことだが、こうなると「俳句しかないか」と思うようになるから不思議だ。

兜太師の居住する熊谷は、江戸時代には中仙道の宿場町として栄えたところ。今では上越新幹線などの鉄道や国道など多数の主要道路が集中していて、熊谷 東京間は宮崎 延岡間より近く極めて利便性の高い土地柄である。ただ、かねてから疑問に思っていたことがある。それは、兜太師の生まれ育った秩父がいくら近いにしても、熊谷は日本有数の猛暑地帯だからだ。夏場には気温がしばしば四〇度を超える。当地が関東平野の内陸盆地に位置し、海風に乗り北上してくる東京都心のヒートアイランド現象により暖められた熱風とフェーン現象で暖められた秩父山地からの熱風が、当地付近で交差するためといわれている。ご高齢（九十五歳）の兜太師にはいささか酷な居住環境ではないか。ともあれ、白内障手術後のドライアイ症状で相変わらず眼の調子は良くないが、今年の熊谷大会にはどうしても行かねばならぬと思った。

大会の前日、五月二十二日㈮上京、東京駅構内で山田晃さんと落ち合い、昼食にざる蕎麦をとり、上越新幹線に乗車、五十分ほどで早稲田本庄駅に着き下車した。西本久さんが車で出迎えてくれた。山田さんは後輩の会社ＯＢで親しい友人でもある。西本さんはＳ社の専務取締役をやっている。

十分ほどで目的のＳ社・埼玉工場に着いた。実に約二十年ぶりであった。工場では谷洋平社長、大矢昭彦取締役・工場長、青木要環境安全部長らが出迎えてくれた。私が親会社の三人のスタッフと共にこの工場のある関係会社・Ｓ社の再建に赴いたのは一九八七（昭和六十二）年春のことであった。バブル景気の最盛期・Ｓ社は売上げが百三十億円もあるのにどういうわけか大幅な赤字を出していた。私は着任早々スタッフと共に経営不振の原因を突き詰め、人事を刷新。会社再建に苦労はつきものだが幸い社員の協力を得て、就任二年を出ずして何とか黒字にすることができた。

埼玉工場は、埼玉県北部の本庄市に隣接する上里町に立地し、東京寄りに深谷市、熊谷市がある。工場はテレビやラジオ、スピーカー等のパネルなどの成形・塗装・印刷・組立加工を行い、東芝、ソニー、松下など主要な電機製品メーカーに供給していた。「ジャパン・アズ・ナンバーワン」と国の内外からもて囃され、日本の電機業界のみならず、製造業のもっとも幸せな時代だった。

当埼玉工場は深谷市にあった国内有数の東芝・テレビ深谷工場向けに建設された。過去形なのは、同工場は二〇一二（平成二十四）年、テレビ生産から完全に撤退したからだ。総合家電メーカーだった三洋電機は今年四月事実上消滅した。今はまた、液晶テレビで世界に雄飛したシャープが莫大な損失を出し、浮沈の瀬戸際にある。松下もソニーも電機業界は例外なく苦境に立っている。バブル崩壊後の「失われた二十年」を地で行った典型がこの業界であろう。S社は埼玉工場のほかに福井工場、大阪支店、浜松支店を有し、本社は東京の虎ノ門にあった。事業の主力は電機業界に依存していたので業界の衰退は大打撃で、私はずーっと気になっていた。

日本の製造業は自動車を除き、バブル崩壊後の過剰設備、過剰人員、過大な不良債権のリストラに追われ、加えて冷戦終了後の市場のグローバル化で海外生産に切り替える対応はしたものの、新しいビジネスモデルの構築に失敗。特に輸出の花形でもあった電機業界は新興の韓国、中国勢に完敗した。

谷社長から会社の現状を詳細聞いたが、会社の事業構造を電機から自動車関連や医療機器等に切り替えるなど懸命の経営努力をしてきており、昨今会社としては黒字のメドがたったものの、当埼玉工場の採算は厳しく工場の存立さえ懸念されている。

「社長、よくやられましたね。話を聞いていると、久しぶりに現役に帰った気分になります」

「西本氏や大矢氏らが残って頑張ってくれているうちに、この工場を何とか黒字に持っていきたいと思っています」

私が経営を担っていた時には、まだ若く技術屋の中堅社員だった彼らが、ガッチリ会社を守り立ててくれていることに「あつい」ものを感じた。工場を見学、旧知の社員が何人もいる。私が導入した射出成形機は三台から十台に増えていたが、塗装作業は無くなっていた。旧知の社員も入れ記念写真を撮り、工場に別れを告げた。埼玉工場無かりせば眼疾もあり恐らく今回熊谷に来ることはなかったかと思う。当夜はかつて埼玉出張の際定宿だった本庄駅前のホテルに泊まった。

麦の秋成形機の音時を打ち　康之

熊谷大会は日程通り、都心から一時間の北関東では著名な森のリゾートホテルで開催された。天皇皇后両陛下をはじめ皇太子同妃両殿下など皇族方がお出でになった由緒あるホテルである。天然の温泉もあり、テニスコート、ゴルフ場、ビーチプールも完備している。せせらぎに平家蛍が点滅、蛙の男性合唱が切れ目無く続く夜の風情もなかなか佳い。

十三時からの総会冒頭、兜太師が主宰挨拶。「私はまだまだやれる積り、なかなか私は死なねえぞ」と宣言された迫力には驚いた。兜太師にはセクシーな生臭さがある。

数年前大病を患われた人とはとても思えない。そう言えば、『私はどうも死ぬ気がしない　荒々しく、平凡に生きる極意』というタイトルの近著がある。大会日程を次に記す。

五月二十三日(土)
十三時　海程総会
十四時　第一次句会（事前投句二句／主宰講評など）
十八時　第二次句会投句締切り（一句）
十八時三十分　夕食・懇親会
五月二十四日(日)
七時　朝食（バイキング）
九時　第二次句会（主宰講評）
十二時　全国大会終了／昼食／解散
十三時　有志吟行（埼玉古墳群・さいたま史跡博物館／貸切バス使用）
十八時　夕食・第三次投句締切り（一句）
十九時　小句会（四グループ別）

五月二十五日㈪
七時　朝食（バイキング）
九時　第三次句会（主宰講評、授賞）
十二時　有志吟行会終了／昼食／解散

今次大会参加者は約二百人。女性が三分の二を占める。米国から二人、豪州から一人いずれも女性。宮崎からは男女併せて十人が参加した。有志吟行会参加者は大会参加者の半分、約百人であった。参加者に高齢者が多いのは今日止むを得ない。

兜太師の講評は辛辣だが、作者を傷つけない配慮がある。佳作句、入選句に次いで問題句が俎上に載る。投句数が百句ぐらいなら全句講評されサービス精神も旺盛だ。

事前投句約四百句の中から選ばれた特選五句は次の通り。

枯木立寡黙な人の反戦詩　新城信子
農民とは被爆の畑に種蒔きぬ　篠田悦子
牛の肌に触れて蛍火若き農　藤野　武
逃水を追ってどの木に登ろうか　塩野谷仁

蚯蚓を飼うと移り来し人夏落葉　野田信章

ホテルの屋上から西方を眺望すると、兜太師の産土である秩父盆地と山々はほんの目と鼻の先。熊谷を定住の地とされたことをやっと納得することができた。懇親会では師肝煎りの「秩父音頭」の謠と踊りが披露された。

ふと佐土原出身の修験者・野田泉光院のことが頭に浮かんだ。確か泉光院は秩父も通ったはずだ。後で調べたら、江戸—千住—草加—大宮—北本—岩槻—東松山—白石峠—秩父—高崎—日光と行乞巡礼の旅をしている。泉光院は文化文政時代の六年間、日本全国を歩き回り、『日本九峰修業日記』を書き遺しているが、俳句が大好きで、旅の先々で俳句好きの人を見つけては楽しんでいる（俳号は一葉）。身分の違いはあるが、俳人・山頭火行乞の先達かもしれないと思った。かくして懐旧と兜太師に会う旅は終わった。

忘らるる身をは思へと秋の風　一葉
曼珠沙華どれも腹だし秩父の子　兜太
産土の兜太は不死身荒凡夫　康之

column

工夫が足らぬ

「欲しがりません勝つまでは」「足らぬ足らぬは工夫が足らぬ」ご存じ先の大戦での戦時標語。女学校の入試の口頭試問で、「こうふが足らぬ」と答えたら、試験官が「なるほど」と感心した話が残っている。働き手の多くが出征して、銃後は「こうふ」も不足していた。先日NHKで「全ての宮崎県人に捧ぐ歴史秘話知られざる岩切章太郎」の特番を観た。思わず涙がこぼれた。翁の事績をここで列記する余裕はないが、翁は「故郷宮崎の大地に絵を描いた」今日で言う「地方再生」の偉大な先駆者であった。「心配するな工夫せよ」この翁の言葉ほど今日的な言葉はないと思う。日本経済はもとより宮崎の再生は、「イノベーション」（工夫）無くしては達成できないと思う。デュークの歌う「フェニックス・ハネムーン」が聞こえる。リーダーの谷道夫君は本名桑原道士、私の同期の友人でもある。

蓼食う虫

私のカラオケの持ち歌の一つに「いつでも夢を」というのがあった。この曲は橋幸夫と吉永小百合のデュエットソングで、昭和三十年代後半大ヒットした。年表を繰ってみる。

昭和三十五年　池田内閣成立所得倍増計画
　　　　　　　カラーテレビ本格放送開始
　　　　　　　潮来笠／橋幸夫
昭和三十六年　ガガーリン（ソ連）初の有人宇宙飛行
　　　　　　　上を向いて歩こう／坂本九
昭和三十七年　新産業都市建設促進法公布
　　　　　　　キューバ危機
　　　　　　　いつでも夢を／橋幸夫・吉永小百合

昭和三十八年　第一回全国戦没者追悼式
ケネディ大統領暗殺
こんにちは赤ちゃん／梓みちよ
昭和三十九年　日本ＯＥＣＤに加盟
東京オリンピック開催
中国初の原爆実験
東京モノレール・新幹線開通
柔／美空ひばり

わが国がようやく先進国の仲間入りを果たし、高度経済成長の下「いつでも夢を」見た時代があった。この曲はデュエットだから独りではダメで、スナックのママさんが仕方なくいつも付き合ってくれていた。

私は昭和三十三年に旭化成㈱に入社したが、どういうわけか延岡での仕事が多く、昭和四十年代後半からは同延岡支社の総務系統の業務に携わっていた。舛添元都知事ならずとも役得はあるもので、お忍びで来延する芸能人の世話係を仰せつかることが多々あった。来延する芸能人はその頃会社がスポンサーをしていた「スター千一夜」、次いで「なるほど・ザ・ワールド」の出演者で、会社の発祥の地・延岡に慰労をかねて招待していた。招待の時期は延岡名物の「鮎やな」の架かる秋が主であった。お世話をした芸能人で特に印象に残っている人を挙げてみると、石坂浩二・浅丘ルリ子夫妻、吉永小百合、佐久間良子、関口宏、司会者として愛川欽也と楠田枝里子などがいる。別途坂本九もお世話した。

中でも吉永小百合は清楚で若く、ハキハキと受け答えして、「やな」にかかった鮎がピチピチ跳ねるのを見て「キャッ、キャッ！」と素直に喜んでくれたことを鮮明に覚えている。私がサユリストになり、「いつでも夢を」を持ち歌にした動機は全く単純でこの時からと言ってよい。ちなみに、吉永小百合は「スター千一夜」の出演回数が九十回とダントツで、二位は七十二回の王貞治選手であった。

今年も五ヶ瀬川水系と祝子川・五十鈴川両水系では六月一日、鮎漁が解禁された。北川水系と耳川水系は、例年通り資源保護の観点から六月十日、それぞれ解禁された。鮎漁の愛好者は長竿をしならせ、踊る銀鱗の感触が何とも言えないそうだ。

私と鮎との出会いは少年時代、疎開先であった綾町の大淀川上流に位する綾南川に遡る。ハエ釣りはすぐ覚えたが、水中眼鏡越しに釣針で鮎を引っかける漁法はなかなかのものだった。初めて鮎の友釣りを見た時は、一度に二匹とはすごいと感心したものだ。大淀川は宮崎の自宅に近く、幼少の頃から親しんできた。夏休みには竹馬の友と「段杭」の出た岸辺で泳いだり釣ったりした。小さい釣針に餌のみみずをつけ、エビやハゼ、時にはウナギが釣れた。時局柄我が家では貴重なたんぱく源であったが、鮎にお目にかかったことはない。時に堤防に日傘に隠れた心配性の母の姿があり、みんなの手前恥ずかしかった。あの頃が懐かしく下北方町にある大淀川学習館にはよく足を運んでいる。

一昨年夏のこと。先輩で長年の心友でもある延岡在住の塩月二男さんから天然鮎を頂戴した。塩月さんは一家を成す書家で、私の人生の節目には必ず「揮毫」をしていただいている。この年は「傘寿」であった。宮崎でも鮎の養殖ものなら五月末にはスーパーの店頭に並ぶが、長年天然のものに親しんできたせいかどうもそれほど食指が動かない。ただし、昨今養殖技術の向上で肉質は著しく改良されてきている。また、中には苔の匂いを感じる天然ものを敬遠して、養殖ものを好む人もいる。

塩月さんからの天然鮎に接し真っ先に頭に浮かんだのが、延岡時代鮎の塩焼きにつけていただいた定番の「蓼《たで》酢」のことだった。「たで酢」は古くより鮎の塩焼きなど魚料理に添えられることで知られ、「たで」の辛味と清涼感が程よく愛でられてきた。

さりながら、それからが大変だった。「たで酢」を求めて四苦八苦することになろうとは。早速、宮崎市内の百貨店、主だったスーパーなど当たってみたが、どこも取り扱っていないのには正直驚いた。ネットで検索すると、大阪の「大徳」という商社が扱っていることは分かった。

とは言え、鮎なら「鮎梁《やな》」のある延岡が本場ではないか。「たで酢」の市販品は必ず存在すると信じて、塩月さんに電話したのがいけなかった。塩月さんは、食品問屋、スーパーなど主な食品店、鮎取扱店など行脚されたが延岡でも市販品は存在しないことが判明した。

それからが圧巻だった。塩月さんは何と昵懇の旅館の女将さんに頼み込み、女将さんは川に自生する「たで草」を摘み、手製の「たで酢」を作り、それが私に送られて来たのだ。塩月さんのご配慮誠に有り難く、全くもって汗顔の至りと言うほかはなかった。

先日延岡で永年天然鮎を扱う「高見鮎商店」の三代目高見宏社長にお会いすることができた。近年、天然鮎の漁獲量が著しく減少するなど業界の厳しい事情をつぶさにお聞きしたが、その際、ずーっと気になっていた「たで酢」のことをお尋ねすると、「昔は料理店で自家製を出していたし、市販もしていたかと思う。今の若い料理店では出していないし、食品専門の問屋の販売員もたで酢なるものを知らないね」とのことだった。

到来の酢に蓼摘む妹が宿　　虚子

「鮎やな」は、秋産卵のために川を下る鮎の習性を利用し、川を堰き止め簀子に誘い込む伝統的な漁法だが、延岡市の広報ネットによると、「のべおか水郷やな」は三百年の歴史を誇り、江戸時代、延岡藩主・三浦氏（一六九三・元禄六年）の時代から地域の特産として幕府に献上され、保護されてきたとのこと。また、「鮎の友釣り」や「たぬき汁」のエッセイで著名な随筆家・佐藤垢石は、「延岡のアユは味、香り、姿までで日本一」とコメントを残しているそうだ。平成十三年には、環境省が行った「かおり風景百選」に「五ヶ瀬川の鮎焼き」が選ばれている。

ところが、世の中には「蓼食う虫も好き好き」で鮎を食べない人もいる。やな場に来て、愛川欽也は全く鮎に箸をつけなかった。何でかと聞いてみたら、「実は親の遺言で川魚は食べないことにしている」とのことだった。相方の楠田枝里子がパクパク欽也の分まで食べてくれたのが愉快だった。

先日朝日新聞に、昨今日本では「魚離れ」に歯止めがかからないとして、「食べたいお魚」ランキングのアンケート調査が出ていた。それによると、ウナギが一位、マグロが僅差で二位、アジ、サケ、サンマ、ブリ、サバ、カツオ、イワシ、タイと続き、わが愛しき「アユ」は十一位に位している。次いでアナゴ、カレイ、キンメダイ、ヒラメ、フグと約七十種が調査対象になっている。アユがフグより上位で、同じ淡水魚でウナギには及ばないが、アユは大いに健闘しているのではないか。

さはさりながら、延岡の天然鮎の漁獲量は近年竿釣り、「鮎やな」を併せて最盛期の十分の一以下まで激減してきている。また、「鮎やな」は、来客数の伸び悩みなども重なり、経営的にも苦しくその存続が危ぶまれてきた。漁獲量の減少は延岡に限らず、全国の鮎の産地も同じで、岐阜市は昨年、鵜飼で名高い長良川の鮎を「準絶滅危惧種」に選定したほどだ。「準」の意は「すぐに絶滅する危険性は小さいが、将来的に絶滅の可能性がある」とのこと。なお、ご案内のように「ニホンウナギ」や「本マグロ」は、国際機関によって「絶滅危惧種」に選定されている。

漁獲量の減少の原因は、台風などの自然災害や人為的な開発などによる山林や河川の荒廃、加えて養殖向けの「稚鮎」の乱獲が指摘されている。このため関係漁協は「水源の雑木林の保護」や「稚鮎の放流」に力を入れてきた。げに「森は川の恋人」でもある。一方、延岡の貴重な観光資源である「伝統鮎やなの保存、再興」への取り組みが官民挙げてなされてきている。平成二十一年には、市民団体、経済団体、漁協、学識経験者、関係行政からなる「これからの鮎やなを考える会」が設立され、その推進母体になってきた。「延岡水郷やな」（大貫町）の架設や付帯する食事棟建設等の元請的業務は延岡観光協会が当たり、延岡市は同協会へやなの架設費として千七百万円、他の架設者へ三百万円補助している。

今年は新年早々うれしいニュースがあった。平成二十七年度の食事棟来客数が、秋の営業期間中約二万二千五百人（前年比約五千四百人・三二％増）と飛躍的に伸びたのだ。もちろん売上高も過去最高になったそうだ。アンケート調査によると、来客者は市内を除く県北地区や大分県からの増加が目立ち、東九州高速道路が開通した効果によることは明らかだが、地元関係者の鮎やなにかける執念も見逃せない。九州中央高速道路（延岡—熊本県・嘉島町）の早期開通が望まれるところだ。

私が延岡に居た頃は、鮎やなは三カ所も四カ所も架設され、正しく工都・延岡の「秋の風物詩」であった。

鮎焼きの香りを聞いて子は育ち　康之

マイウェイ――俳句の道のり――

本年五月末、突然デューク・エイセスのリーダーである谷道夫さん（八十二歳）から、本年十二月をもってグループの活動を終了するとのご挨拶を頂戴した。グループの結成は本人が十九歳時の昭和三十（一九五五）年のことで、今年で六十二年目の解散ということになる。驚いてすぐ谷さんに電話した。谷さんは本名は桑原道士、佐土原藩士の家系で、大宮高校の同期生、どういうわけか、その頃丸山町の拙宅の隣人であった。よく縁側で彼がギターを弾いていたことを思い出す。

昨年三月には宮崎市で、グループ結成六十周年の記念公演があり、終了後同期の仲間が集まって祝賀会をやった。同期の者はみな桑原君と呼んでいる。私は彼が朗朗と張りのある声で「マイ・ウェイ」を独唱したのに感動して、一句短冊を彼に贈った。

マイウェイ君のバリトン春爛漫　　康之

そして今年の三月、グループは彼の奥さんの里である清武町の「半九ホール」で公演を済ませたばかりであった。電話によると「グループのサウンドが落ちないうちに惜しまれて幕を閉じる決断をした。ただし、谷個人としての音楽活動は続けるつもりだ。よろしく」と語ってくれて、いくらか気が安まった。

実は少し前に、私の所属する俳誌「海程」の全国大会で、主宰の金子兜太師（九十七歳）より「海程」を来年八・九月号をもって終刊すると正式に発表がなされていた。「海程」は今年創刊五十五周年を迎えたが、かねてより兜太師は来年九月の白寿到達をもって主宰を辞すると宣言されていたので、その後の「海程」はどうなるのか、後継者の指名はあるのかなどいろいろ取り沙汰されてきていた。全国大会はここのところ三年連続して主宰の地元である埼玉県熊谷市で開催されているが、私は「海程」のその後を兜太師より直接聞くべく、今年も大会に参加した。兜太師の書面による終刊の弁である。

「終刊の第一の理由は、主に私の年齢からくるものです。年齢を重ねるにつれ、本来主宰が担うべき役割の一部を周囲の方たちに依存するようになってきました。その度合が次第に増えている現状を考える時、主宰者――金子兜太の限界が近づいていることを感じています。終刊の第二の理由は、俳人―金子兜太―個人に今まで以上に執着してゆきたいという思いです。最終的には、全ての選者を辞し、句づくりだけの暮しにしたい、と考えています」（要約）

グループや結社を解散しても、個人としてなお音楽や句づくりを続けるという桑原君、兜太師の心意気には共通して「マイウェイ」を貫く尊いものがあるように思う。されば私の「マイウェイ」、いささか忸怩たるものがある。四十二年間に及ぶサラリーマン生活はこの際別として、帰郷後の「マイウェイ」を検証することにする。

桑原君がかつて書いた自分史『人生はハーモニー』（宮崎日日新聞社）によると「自分史が執筆できたのはスケジュールを書き込んだ手帳を残しておいたのが役に立ったのです」とある。一方兜太師の書かれたものによると、若い頃から兵役時は除き詳細な日記と切り抜きを欠かされていないのには脱帽せざるをえない。私の場合は現役時代は「業務手帳」と仕事柄新聞の切り抜きをやっている。平成十一年帰郷に際しては加えて大学ノートの「日誌」をつけてきている。ノートは年に二冊は要るので今日四十冊近くになったが、この度執筆するに当たりざーっと読み返してみた。

勤めていた会社の役職の任期半ばで帰郷を決断、さてこれから何をするか。まずは築七十年超の旧家を建て替えること。そして「新聞の新聞をつくる」と書いている。会社人生の節目節目で体験した世の中の出来事、有り様に、よほど「腹膨るる思い」が溜まるに溜まっていたのだと思う。さりながら「さよならだけが人生だ」というのもある。帰郷後家の建て替えの段取りはつけたものの、すぐ宮崎医大に入院、検査、治療する事態になった。現役時後半から高血圧に悩まされてきたが、煙草、飲酒、過労が重なり「心房細動」を惹起し、お決まりのコースとなった次第。私は今日、その他の症状を含めて胃薬を除き日に十三種の薬で生かされている。従って「新聞の新聞をつくる」なんて大それたことは、早々とあきらめざるを得なかった。

俳句は学生時代、亡兄寛之（俳号　哲哉）から手ほどきを得たが、就職してからは、仕事と俳句を両立させることはほとんど困難であった。兄の親しい俳友で当時現代俳句協会（会長　金子兜太）事務局長の要職にあった故津根元潮さんに帰郷のご挨拶に伺ったところ「よう似てはりますね。弟さんも俳句どうですか」の一言が私の長い休俳を解くことになった。なお、潮さんには兄の遺句集『時をなだめて』を編んでいただいていた。

兄への供養もあって、まともに俳句に向き合うことにした。文字通り「目当たり」次第俳句関係の雑誌や書物を漁った。先日亡くなった詩人・大岡信の『折々のうた』

（岩波新書）は、俳句に限らず詩歌を理解するのに大いに役にたった。また全国レベルの俳誌の見本誌は無料につきいくつか取り寄せ吟味したが、その中に「海程」も含まれていて、これは次元が違うと一旦は敬遠している。もちろん金子兜太の名は、社会性俳句、前衛俳句の旗手として承知はしていた。ところが私の俳句の先輩で親友の染矢良正さんが「君の句は海程向きではないか」と言ってくれたのがきっかけで「海程」に入会、投句するようになった。

また、その頃前述の潮さんから「現代俳句協会」への入会を勧められ、宮崎の同協会（会長　福富健男）の推薦を得て入会している。後日、この時のご縁で福富さんが代表だった宮崎俳句研究会（俳誌「流域」）の句座に参加することになった。

「新聞の新聞をつくる」ことが挫折したこともあって、厚かましく、「みやざきエッセイスト・クラブ」への入会を高校の大先輩である渡辺綱纜さんにお願いし、文章テストを経て平成十二年からクラブの一員にしていただくかたわら、山下道也さんの主宰する投稿誌「渾沌」に投稿したりした。山下さんは奇しくも亡兄と旧制宮中の同期であった。

また、会社の大先輩であった故山同陽一さん（旭リサーチ社長）のお勧めで、創刊早々の「日本インターネット新聞」の市民記者に採用され、「芋幹木刀」のタイトルで、平成十五年から六年間時事コラム二四八本を執筆した。まあ、このことが「新聞の新聞をつくる」公約を果たしたと言えなくもない。後日同タイトルの私家本を出している。

金子兜太師にはじめて面識を得たのは、帰郷して二年後の平成十三年十一月、大分で開かれた第三回九州地区現代俳句大会に初めて参加した時のことである。日誌を繰ってみると次のような記述がある。

「前夜祭で兜太に挨拶、哲哉を知ってたような口ぶり（注・兄は生前同協会の幹事をしていた）。私の海程への投句も承知みたい。井上信一さん（元宮銀頭取）のことはよく知っていた。二次会はフグ料理。とにかくよく食うし健啖家・82歳。糖が少し出てアルコールは控えているとか。明日の講演が楽しみ」
「兜太の話、来てよかった。海程を選択したのは正解。染矢君に感謝。エラぶった風もなく、句作―俳句思想がよく分かり、共感した。カリスマ性あり。これで自信をもって俳句が続けられそう」

大変な入れ込みようである。因みにこの時の兜太師の演題「今日の俳句について」

のメモは今でも私の句づくりの指針になっている。
文中の井上信一さんは、兜太師の東大経済学部、日銀の先輩に当たり、私も延岡在勤時、宮崎経済同友会の活動でご一緒した間柄。井上さんはまた大変な親鸞の研究家で、後年「仏教振興財団理事長」も務められている。兜太師とは昵懇の真栄寺我孫子住職・馬場昭道さんが書いた自分史『ちょっといい出会い』（宮崎日日新聞社）の序文の冒頭、兜太師は「昭道さんに初めて会ったのは、井上信一さんの引き合わせによる」と記されている。昭道さんは実は宮崎市江平西町にある真栄寺の出身で、兜太句碑はまず我孫子市に建てられ、後日宮崎市のお寺にも建てられた。宮崎のお寺は拙宅から歩いて十分足らず、幼少時は母に連れられてよくお参りに来た。

梅咲いて庭中に青鮫が来ている　　兜太（平成十年十二月　我孫子市）
谷間谷間に満作が咲く荒凡夫　　兜太（平成二十二年五月　宮崎市）

兜太師のことで、何と言ってもハイライトは、平成十七年七月、今日新装なった「ボタニックガーデン青島」に句碑が建ち、私も事務局の一員としてそのお手伝いをしたことであろう。発案者は兜太師と親交のあった故山下淳氏夫人の弘子さん。なお、本件に関しては、金子兜太句碑建立実行委員会（会長　福富健男）の記録誌（編集　服部修二）に詳しい。句碑は必ずやよき「俳枕」になることだろう。

ここ青島鯨吹く潮われに及ぶ　　兜太

この年私は「海程」の同人に推挙され、その記念として句集もどきの私家本『デモ・シカ俳句』―金子兜太選―を編んでいる。

私の金子兜太評を一言で言うならば「荒凡夫」。究極の自由人を意味する。「海程」の巻頭にある「古き良きものに現代を生かす」ことを体現した人だと思う。

レガシーの兜太となりぬ聖五月　　康之

追記　その後（平成三十年十一月）神宮参道に面する真栄寺・保育園に新しく兜太句碑が建った。

園児らは五月の小鳥よく笑うよ　　兜太

column

吉祥寺

東京在勤中、社宅の都合で西荻窪から吉祥寺に転居、帰郷するまで約５年間厄介になった。早々「吉祥寺」を尋ねて回ったことがある。情報源はいくらでもあるのに、意地になって歩き回ったが、疲れて交番で聞いたら「吉祥寺」というお寺はないことが分かった。明暦の大火で現在の文京区にあった吉祥寺の門前町が焼失、人々が今日の地域に移住したということだ。「住みたい街ランキング」によると「吉祥寺」が昨年の「恵比寿」を破り一位に返り咲いた。私は上京すると必ず吉祥寺のホテルをパックで手当する。馴染んだ街というだけでなく、実は大恩人の先輩のお墓があることもあるが、神田川の水源である「井の頭公園」の四季が楽しめるのがよい。駅前の「ハモニカ横丁」の居酒屋で、なぜか日向特産の「へべす」が大人気とは嬉しい。

花三分スワンボートが犇めいて

いのちの養い

私の書斎兼寝室には、青島の句碑に手を置き、破顔一笑する金子兜太師の写真が掛かっている。額縁はタテ35センチ、ヨコ45センチほどの大きさで、於青島亜熱帯植物園（現ボタニックガーデン青島）と付記されている。

ここ青島鯨吹く潮われに及ぶ　兜太

私の俳句の先生だった金子兜太師（兜太は本名）が白寿を目前にして、去る二月二十日「他界」された。至極残念でならない。謹んで心よりご冥福をお祈り申し上げます。死因は誤嚥性肺炎からきた急性呼吸促迫症候群とのこと。最近身辺に誤嚥性肺炎死が多いのはどうしたことか。師はかねてより著書で、「私はどうも死ぬ気がしない。いのちは死なない。ただ『他界』に移るだけ。そこには懐かしい人たちが待っている」と言っておられた。

今年になって「朝日俳壇」の選者に師の名前がなく、「金子兜太さんは体調がすぐれないため、しばらく選句を休みます」（一月十五日付朝日新聞）とあり、一同心配をしてはいた。ただ、師は九十歳の時には顔面神経痛、翌年には類天疱瘡を患い、加えて難しいといわれた胆管がんの手術を克服され、不死身と言われていた。とにかくお元気で、わたしは「産土の兜太は不死身荒凡夫」という句を作ったほどである。荒凡夫は師の座右の銘、平凡で究極の自由人を意味する。

一人の俳人、一人の文化人の死が、これほど紙面を賑わしたことがあっただろうか。

「九八歳戦後前衛俳句の旗手——自然体を支えた野性」（日経新聞）
「命の尊さを詠み続けた生涯」（毎日新聞）
「俳句への愛惜戦友への鎮魂——宇田喜代子」（読売新聞）
「社会と結ぶ選句に情熱——週五千句向き合う」（朝日新聞）
「人間の生や自然を凝縮反骨の俳人——ジュゴンのように悠々と他界に旅立っていった」（産経新聞）
「一茶を愛した俳句の鬼——理想の表現追い求める」（宮崎日日新聞）
「現代俳句の旗手、文化功労者」（夕刊デイリー新聞）
「日本の詩歌作家・金子兜太が逝去」（フランス　ル・モンド）

かつて兜太師は「自分を支えたのは、トラック島での戦場体験、勤めていた日銀での冷や飯、俳壇の保守返りへの反発の三つだ」と語ったことがある。

私が兜太師にはじめてお会いしたのは、平成十三年十一月、大分で開催された第三回九州地区現代俳句大会でのことで、この時の兜太師の「今日の俳句について」と題する講演はその後の私の作句の指針になっている。兜太師は、「俳句の基本は『いのちの養い』である。『いやし』が本筋。そして、『土』こそ生命である。句材はフリーで有季・定型にこだわることはないが、抒情詩である」として、五・七・五の定型の魅力、切れ字のリズム感、季語の有用性、「俳諧」の味などに触れていて、「自由な自己表現」を推奨された。

私が兜太師と親しく接したのは、平成十五年十月、宮崎開催の第四回九州地区現代俳句大会で事務局を預かった時のこと。この時の講演の題は「最短定型を語る――自然と人間」であった。好ましく思ったのは、「芭蕉到達の『さび』は、人々の暮らしと季節の移ろいが溶け合って醸し出すペーソス（哀感）。芭蕉が発見した美意識こそが『さび』であり、現代まで続く『俳味』だ」と語られたのは印象深い。げに「金子兜太は伝統から前衛まで、すべて飲み込む――宮坂静生・現代俳句協会会長」（読売新聞）との評の通りであると思う。

懇親会の二次会で「ニシタチ」の居酒屋に繰り込んで、盛り上がったが、師は糖がでたとかで酒は飲まれず、煙草はずっと前に止めておられたが、とにかく健啖家であった。私がぶしつけに「ご多忙中月に何句お作りか」と質したところ、随分お考えだったが、「ウーン、平均すると一日一句かな」と答えられた。後日、師からはあの独特な筆跡で、「大変お世話になった」と葉書を頂戴、大いに恐縮した。師は気配りの人でもあった。この時、師は八十四歳、今日の私の歳である。

青島の金子兜太句碑は平成十七年、当時の県立亜熱帯植物園に建立され、七月十日に青島神社の神事のもとにその除幕式が行われ、わたしは司会を仰せつかった。

建立者は、山下淳、山下弘子、流域句会、海程句会。協賛者に、宮崎市芸術文化連盟、宮崎県俳句協会、宮崎県現代俳句協会が名を連ねている。句碑建立の発案者で発起人代表の山下弘子さんは、宮崎県の現代俳句の先駆者で俳誌「流域」の代表であった、故山下淳氏夫人。山下淳氏と金子兜太師とは、加藤楸邨の俳誌「寒雷」では同門、また兜太師が昭和三十七年に俳誌「海程」を創刊して以来の同人といったごく親しい間柄であった。兜太師は、山下氏との盟友関係もあって、宮崎で開かれる「宮崎・現代俳句の集い」や「海程全国大会in宮崎」などで度々来宮、その都度青島を詠っている。

いつも右手に青島ありて夏初め
青島に若き蟹いて暮春かな
海紅豆行乞の人行きし町並み
日向灘人馬の夏の影身近か
ここ青島鯨吹く潮われに及ぶ

三句目の「行乞の人」とは、漂泊の俳人・種田山頭火のことであろう。

除幕式には兜太師をはじめ、県内外から俳人など約百名が出席した。次いで開かれた祝賀会で兜太師は「青島は海と陸の合体という古代思想の地。海幸彦、山幸彦の伝説もある。その地にこのような品格ある句碑を建てていただき感動している」と謝辞を述べられた。

「流域句会」所属の私も発起人の一人として、句碑建立実行委会長・福富健男氏（流域代表）指揮の下お手伝いをした。山下弘子さんの発案から除幕式まで、記録をみると一年ちょっとかかっている。先行句碑地視察・調査、県内外の関係者・関係団体への協力要請、建設資金の募集、県有地だったので建設許可申請、碑石の手当、除幕式・記念祝賀会、幸島・都井岬記念吟行会などの手配、準備等々。実行委員が手分けして奮闘、私も久しぶりに会社勤めの現役時代を思い出した。よくぞあの時無理をしてでも、兜太師の句碑を建設しておいてよかったと思う。ご協力いただいた方々へ改めて厚く御礼申し上げたい。

この時記念句会など有志による句会が四回開かれたが、思いがけなく、うち三回兜太特選に採っていただき、いよいよ兜太師に傾倒するようになった。

句碑建って鯨乗り來し兄と逢ふ　　康之

兜太師は昨年五月の海程全国大会で、本年九月の白寿到達をもって俳誌・海程の主宰を辞するとともに同誌の終刊を宣言された。

「おお、元気か」

「先生、青島の句碑が建って十年経ちました。今一度宮崎においでになりませんか」

「うーん」

この懇親会での師とのやり取りが最後となった。その後師は十一月、帝国ホテルで開かれた「現代俳句協会創立七十周年記念全国大会」に同協会名誉会長として車椅子で出席され、祝宴では「秩父音頭」を絶唱されたとのこと。秩父は師の産土・原郷である。また、同協会が七十周年記念イベントとして会員から募集した「私の愛誦句」ベストテンには、兜太師の句が何と五点も入っている。

18名愛誦句

はらわたの熱きを恃み鳥渡る　宮坂静生

12名愛誦句

閑さや岩にしみ入蟬の声　松尾芭蕉

11名愛誦句

おおかみに蛍が一つ付いていた　兜太

10名愛誦句

鰯雲人に告ぐべきことならず　加藤楸邨

人体冷えて東北白い花盛り　兜太

彎曲し火傷し爆心地のマラソン　兜太

9名愛誦句

梅咲いて庭中に青鮫が来ている　兜太
水脈の果炎天の墓碑を置きて去る　兜太

8名愛誦句

芋の露連山影を正うす　飯田蛇笏
夏草や兵どもが夢の跡　松尾芭蕉

私も応募したが、得点は二名だった。

酒止めようかどの本能と遊ぼうか　兜太

なお、本記念大会で、宮崎県の福富健男氏が見事全国大会・大会賞を受賞した。

被曝胎児のわれを陽子と呼びし父　健男

兜太師の告別式は、三月二日、師の地元埼玉県熊谷市で営まれた。
戒名　海程院太航句極居士

報道によれば、挨拶に立った長男の眞士《まつち》さん（六十九歳）は、兜太師が二〇一五年秋ごろから、認知症の症状がみられ、翌年冬にアルツハイマー型認知症と診断されたと述べておられる。私は「海程」の全国大会には例年参加してきたが、そのような症状を感知することは一切なかった。さすが専門の俳諧師・「業俳」の面目躍如たるものがある。長い休俳を経て、会社を退任帰郷後、人に勧められて再開した私の句作りである。兜太師との出会いなかりせば、恐らくただ今の営みは享受できなかったかと思う。

「ひえりくさい」という方言がある。私はいつも兜太師のことをそう感じてきた。そう「生き物感覚」と言ってよい。

生き様を教へし兜太秩父紅　　康之

壮心已まず

老驥伏櫪　老驥櫪に伏すも
志在千里　志千里に在り
烈士暮年　烈士暮年
壮心不已　壮心已まず

中国の三国時代、魏の始祖・曹操の漢詩といわれる。驥《き》とは、一日に千里走るという駿馬のこと。私の愛誦の漢詩である。

平成十一年、関係した会社の再生を機に役職を退き、帰郷を決断、会社人生に一区切りつけた。家の墓守もあるが、会社の仕事とは全く違った仕事をやってみたいと思った。

「腹ふくるる」思いが募り、「新聞の新聞」作りを試みたが、これは体調を崩し早々に断念した。さりながら壮心已まず、その頃、長年薫陶を受けた先輩のお勧めで、創刊早々の「日本インターネット新聞」の市民記者として、「芋幹木刀」と題し、六年間時事コラム・二百四十八本を執筆。後日、私家本を出した。また、渡辺綱纜さんにお願いして今日「みやざきエッセイスト・クラブ」の一員である。

昨秋、市立第六国民学校（現江平小）の昭和二十一年度卒の最後の同窓会が開かれた。この同窓会は、平成十四年から続いていたが、年々出席者が減少、今回はわずか十二人だった。この会が今日まで続けられたのは、担任の北野一郎先生がすこぶるお元気で、お住まいの三股町から電車で毎回出席されていたことが大きい。北野先生は今年二月白寿を迎えられている。さりながら、先生はこの最後の同窓会を欠席された。ちょうど運悪く足を痛められ入院中とのこと。

後日、私も含め幹事四人で都城の入院先に御見舞いに参上した。私たちは開戦の年、国民学校第一回生として入学。五年生の時、終戦を迎えた。六・三制の新学制が昭和二十二年三月公布施行されたから、私たちは「小学校」を出ていないことになる。

最後の晩餐会ならぬ昼餐会に集まったメンバーのうち、烈士暮年、際立って注目される友人が二人いる。一人は、東京のど真ん中、八田国際特許業務法人のオーナーで、今もって海外出張もこなす八田幹雄君。今一人は、再来年福岡で開催予定の世界マスターズ水泳選手権大会（国際水泳連盟主催）で金メダル（水泳）を目指す、「よっちゃん」

こと押川義克君だ。

押川君は、幼少時の虚弱体質を克服、家内の逆境にもめげず学行に精進、勤めていた社会保険病院を定年退職後は、七十歳から日本名山に挑戦。北は北海道の利尻岳から南は屋久島の宮之浦岳まで主な山は登っている。しかし、八十歳の時に年齢も考え剣岳登頂を最後に大きな山の登山は断念し、七十九歳から元々得意だった水泳に挑戦している。初参加の全国ねんりんピック大会で三位となり（平泳・25m、50m）、八十二歳では熊本マスターズ大会で、大会記録で優勝（平泳・50m、100m）。そして今年九月、八十五歳で、福岡で開催された第三十六回日本マスターズ水泳選手権大会（日本水泳連盟ほか主催）に出場。八十五歳から八十九歳の部で見事二冠を達成した（平泳・50m、200m）。

昨年はNHKテレビで何度も取材放映されたので、そんな押川君を知る人は多いはずだ。私の現在の体力では全くついていけないが、どんなトレーニングをやっているのか聞いてみた。標準的な一日の予定は、五時半に起床してラジオ体操、筋トレ。十時から十四時までスポーツジムへ、ヨガ、筋トレ、水泳一五〇〇メートル。二十二時に就寝とのこと。ただし、日曜日は愛妻と夫婦で一反の畑仕事とある。

押川君の立派なところは、筋トレだけでなく脳トレもやっていることだ。宮崎日日新聞・窓欄の常連だし、また地元の自治会や老人会の行事に積極的に参加してきている。「健康維持こそ社会貢献」をモットーに躍動する彼の大きな夢が成就されんことを心より祈念して止まない。

ところで、担任の北野先生とは、終戦時の国民学校だけでなく、実は新設の西中学校三年時（第一回卒）、担任になられたので、私は他の人よりいささか濃いつながりがある。

私は終戦の年九月、疎開先の綾町から丸山町の自宅に、寝たきりの父を母共々擁して帰還したが、江平の第六国民学校の校舎は終戦日の直前に焼夷弾を食らい、全校舎焼失していた。今の神宮参道にあるＮＨＫ宮崎放送支局は、戦時中は軍の司令部であったが、戦後私たちの仮の校舎となり、私たちはここで卒業した。その後、県立盲学校が入り、同校の転出後、鶴島町から現在のＮＨＫが移転して来ている。

北野先生は復員後、私たちのクラスの担任に復帰され、クラスを「留魂塾」と命名された。これは吉田松陰の辞世の歌、「身はたとひ武蔵の野べに朽ちぬとも留置かまし大和魂」に拠る。その当時は、進駐軍によって、柔道、剣道など武道は禁止されており、私たちは専ら手作りのグラブやボールで野球に興じていた。町ごとにチームがあってよく対抗試合をしていたものだ。

六年生になった終戦の翌年秋、宮崎市内の国民学校野球大会が開催されることになり、北野先生総監督下、急きょ選手の選抜と猛練習が行われることになった。大会会場は今の宮崎小学校の校庭であった。わが第六国民学校は一回戦で、男子師範付属国民学校と対戦、24対1・コールドの屈辱的な敗戦であった。左腕の好投手・木脇汪君が途中で肩を痛め、急きょ三塁を守っていた私が救援に赴いたが、全然ダメで、四球をだしては打たれたのを鮮明に覚えている。されど、今となっては懐かしい思い出だ。

時に上京する機会があると、親しい友人たちと、たとえば寅さんの葛飾柴又とか浅草寺の四万六千日・ほおずき市とか散策することがある。この日は染矢良正君の案内で相部邦彦君共々、南千住の小塚原刑場・回向院を訪ねた。この寺には安政の大獄で刑死した幕末の志士、橋本左内、吉田松陰、頼三樹三郎など、また鼠小僧次郎吉や「毒婦」といわれた高橋お伝などの墓がある。私は松陰の墓を写真に撮り、北野先生に贈ったところ大変喜ばれた。また、ある年の建国祭の日、先生のご自宅に他の教え子共々私たち幹事も招かれご馳走になったことがある。その折私が詠んだ句が気に入られ、ご要望に応え短冊を進呈した。

紅梅や万巻の書を白寿まで

建国祭教へ子の来て今昔

先生は大変な読書家かつ蔵書家で、「欲しい本があったらいつでも持って行っていいよ」と言っていただいている。

といったことで、学校関係の同窓会・クラス会はこれですべて終わったと思った。新制中学のクラス会、疎開先だった綾の同窓会、デューク・エイセスの谷道夫君が例年参加した大宮高校第五回卒同窓会、京都大学法学部一組（J1）のクラス会。烈士暮年、何となく人生一抹の愁いを含むことになった。

ところがである。世の中はよくしたもので、五年前解散した大学のクラス会が突然復活したのだ。当時幹事を務めていた京都新聞元常務の杉本良夫君から本年二月、次のような案内状を頂戴した。

復活?!　J1会ご案内

前略約三十五年間に十五回のクラス会を営々と続けてきた、J1会に〝一応の区切り〟を付けたのが、平成二十六年の五月でした。以来、「J1会が懐かしい」「京都が遠くなった」等、J1懇親会の復活を望む声が高まってまいりました。（後略）

四月二十五日、伊丹空港から京都駅行きの高速リムジンに乗った。岡本太郎の「太陽の塔」に見送られ、新緑のまぶしい高速道路は快適だった。五年前の懇親会は、幽雅な名園で知られる世界遺産の天龍寺で、日誌によるとその後嵯峨野に遊んでいる。今回の会場は京都駅に近いホテルで、利便性を優先した杉本幹事の配慮が窺われる。杉本幹事が用意してくれた資料を見て、思わずウーンと唸ってしまった。今回出席者は十三人で、令夫人連れと付添の娘さん連れを入れて十五人の会席となった。前回は二十九人の出席があったが、五年間で物故者三人、案内状が返送されて来た者二人。ちなみに、ちょうど六十五年前入学時の在籍者は四十九人を数える。

クラス会と言えば、懐旧談、近況報告、なかんずく病気の話が定番。相身互いで結構参考になることが多い。ただ、いつもと趣を異にしたのは、ちょうど改元を迎えていたせいか、わが国の近未来に思いを馳せる者が多くいたことだ。今なお大商社の名誉会長もおれば、裁判官あがりの弁護士もおり、家業を継いで頑張っているものもいる。壮心已まず、かつての産業戦士の最大の関心事が「米中新冷戦」の行方に集中するのはごく自然なことだ。

一泊して、いつもはキャンパスを覗き、お世話になった下宿先に顔を出し、その時の気分でアチコチするのが常だったが、この度は眼疾が嵩じてきている上に足腰の衰えもあり京都駅近く、家の宗旨である東本願寺と京都全域が楽しめる京都タワーにしぼった。

久し振りに京都入りして、驚いたのは、訪日観光外国人（インバウンド）の増加とその多彩な顔ぶれである。全国で一〇〇〇万人を平成二十五年に超え、五年後の昨年、三千万人を突破したのだそうな。観光外国人の落とすお金は全国で四兆五千億円と馬鹿にならないが、文化財の多い寺社では、悪戯する外人お断りとのつぶやきも聞こえてくる。ちなみに、日本人のアウトバウンドの昨年の実績は、一八九〇万人とのこと。

クラス会の常連で、私の親しくしている友人二人に帰宅後すぐ電話を入れた。一人は名古屋、一人は高知在住である。二人とも車椅子、クラス会の報告をつぶさに行った。

京の春インバウンドの地の響き　　康之

column

地球儀

孫が小学校の頃に買い与えた地球儀が片隅に置いてあったので、久しぶり眺めてみました。ユーラシア大陸の東端に位置する小国日本が、文明開化・明治維新150年、「よくぞここまできたもんだ」としばし感慨に耽りました。150年の前半は、日清戦争、日露戦争から日中戦争、太平洋戦争まで対外戦争に明け暮れました。敗戦後の後半は、ただ今一応平和と自由を享受しています。名目GDPはアメリカ、中国に次いで世界第三位です。さりながら、ここにきて中国の台頭が目覚ましく、三菱総研の試算では、米・中の名目GDPは、2030年までに逆転する見通しです。

「自国第一主義」が世界を席巻する中、わが国の最大の課題は、現在進行中の「少子高齢化と人口減少社会」をいかに乗り切るかですね。先行き心配でなりません。

雲割れて紺碧の空野分前

四の扉

渾沌と私

カラス

風薫る五月になって、二度も惨劇を見た。羽をむしられ首のない鳩をカラスが啄んでいる。一度は神武さんの正面の道路。もう一回は少し離れてある犬猫病院の前、文化公園に至る幹線道路上であった。

カラス、思えば懐かしい生き物ではある。

有楽町の朝は、とくに夏がくると気だるく異様な臭いがする。月に何度かの事業部の早朝ミーティングがあって、地下鉄丸の内線から首を出し、ビルの谷間の路地を急ぐと、複数のカラスがビニ袋を突き破り、栄養価の高い動物性蛋白質を採餌しているのにでくわす。高みには必ず一羽の見張りをおき、三〜五羽の小集団を形成している。

銀座の生ゴミは産業廃棄物である。兵どもの夢のあと、深夜飲食店から出される残飯の量は膨大なもので、都全体で一日約六千トンにも達するそうだ。

大量の残飯に群がるのはカラスのほかドバト、スズメ、ドブネズミ、ノラネコ、それに遺憾ながら、ホームレスの人がいる。お店のほとんどがシャッターを下ろすお正月はパニックとなり、数羽のカラスがネズミやノラネコを襲って食べることは珍しくないという（『カラスはどれほど賢いか』・唐沢孝一）。

神宮参道に平行して一つ西で真栄寺さんの幼稚園の脇から北に通ずる路は、私の定番の散歩コースだが、進学塾が多い。なかにはチャイルドアカデミーといって、胎教コースもある。また、書道塾や津軽三味線・民謡教室と賑やかだ。右に曲がるとすぐ、私の母校の大宮高校がある。

そのまま北に行くと、初めからそのつもりで建てられた三階建てで時計台のある元塾がある。時計の針はいつも午後二時十分を指しており、「売家」の貼紙。ああ、うまく行かなかったんだな。その時計台の天辺に黒いカラスがとまっている。俳句では「つきすぎ」というやつだ。

生ゴミの日のカラスの挙動はまったく有楽町の場合と同じ。鳩の惨劇でもきっちり見張りのカラスがいた。ひょっとしたら、インターネットでもやっているのかと思う。

今年の春ごろになって、しばらく南の江平にある大盛うどんのほうに散歩コースを変更した。コンビニで「朝日」と「毎日」を買うためである。まさか小泉さんが総理になろうとは。

いつもの散歩にもどって、元塾の前に来ると、うっそうとした樹木も小ざっぱりして、「売家」の紙もない。時計の針は私のそれと同じように刻んでいる。よかったな。しかし、カラスはやっぱりとまっていることがある。

神武さんの境内は広大で、緑ゆたかな杜だ。そういえば、カラスと鳩とスズメが多い。そのほか野良の鶏と猫をよくみかける。捨てられたのだそうだ。コンビニで「ねこ元気」を買い、池の鯉にやるとスッポンは動きがにぶく餌にありつけない。猫が食ってる間は誰も邪魔しないが、一段落すると鳩がすぐどこからか飛んできて二十羽ぐらいになる。この場合は鶏がトロイ。

カラスは用心深くけっして寄ってくることはしない。そういう意味では可愛げがない鳥だ。東京は明治神宮をはじめカラスのねぐらとなる緑の公園が多く、さきほどの唐沢さんは、都心での総数は約七千羽と推定している。わが宮崎市はどうだろうか。

宮崎に落ち着く前、しばらく高鍋にスタンバイしていて、駅での待ち時間のあいだじっくりカラスを観察する機会があった。

秋曇りカラス無言で線路に石
銜えては石の爆弾寒鴉

「そんなバカな、ウソでしょう」と家内は言うが、これぐらいのことは賢いカラスにとってはほんの序の口、朝飯まえである。

西橋通りの産業廃棄物の現状を承知してないが、最近、カラスにとっても住みにくい世の中になったのではないか。

(一) 不況は生ゴミの排出量を少なくする。

(二)「生ゴミ処理機」を使う家庭が増えた。

私、鈴木刑事の推理はこうだ。

カラスは普通、三月中に巣づくりを終え、四月になると産卵、二十日ぐらいで孵化、約一か月で巣立つ。この間、親鳥は給餌する。つまり、鳩殺しの動機は子育てのための採餌行為である。社会的背景としては、生ゴミの減量がある。被害者よりも加害者の人権を声高に擁護する人間社会の風潮からいうと、責任は阻却され不起訴になる可能性が高い。起訴されても判決は無罪であろう。

鳩の惨劇が五月から六月にかけて起こったことは、何よりの証拠である。

父の勲章

三年前、父の五十回忌を催した。東京の社宅は吉祥寺にあって、夏休みには例年、孫・子そろって集まってくれていたので、命日ではなかった。

天佑ヲ保有シ萬世一系ノ皇祚ヲ踐タル日本國皇帝ハ賞勲局ニ勅命シ陸軍歩兵一等兵鈴木種次ヲ明治勲章ノ勲八等ニ叙シ瑞寶章ヲ授與ス即チ此位ニ属スル禮遇及ヒ特権ヲ有セシム

神武天皇即位紀元二千五百六十年

明治三十九年四月一日

父は、明治十六年の生まれで、日露戦争は明治三十七年のことだから、二十そこそこで応召、出征したことになる。

この叙する文を眺めていると、実にいろいろな事柄が想い起こされる。

冒頭の「天佑を保有し」、この言葉は懐かしい。大東亜戦争における開戦詔書の書き出しと同じ。少国民の頃は暗記していた。しかし終戦の詔書にはない。「天佑」がなかったということか。

神武さんの護国神社には、神風特攻のさきがけとなった敷島隊四番機、宮崎出身の軍神永峯肇海軍飛行兵曹長の碑が立っている。

辞世の歌は

「南海にたとへこの身は果つるとも
いくとせ後の春を想へば」

十九歳の秋であった。

「日本国皇帝」は、開戦詔書では「大日本帝国天皇」とあって、皇帝が、どうして、いつ天皇に変わったのかわからない。

しかし、「大日本」の「大」の字が持つ意味は重い。石橋湛山が「大日本主義の幻想」と題する一文をものにしたのが大正十年。

「大日本主義、即ち日本本土以外に領土もしくは勢力範囲を拡張せんとする政策が、経済上、軍事上、価値なきこと」と述べ、一等国気取りの「世人」を戒めている。

先の大戦での犠牲者は、将兵約二百万人、銃後の民を合わせて約三百万人にものぼる（日露戦争では約八万二千人）。

今の西池小学校沿いの路傍に、帰宅途中空爆死した、男子師範附属国民学校児童十二名の「いとし子の供養碑」がポツンと立っている。

皇居お濠端の千鳥ヶ淵は、桜の名所で都民に親しまれていて、そこに国立の戦没者墓苑がある。在京時は、毎年手を合わせてきた。

今日の日本の繁栄が、これらの儀牲者の上に築かれていることを、孫・子に語り伝えていきたいと思う。そして、繁栄のあとには、衰亡もあるということも。

勲章制度は、明治期にはじまり現在に至っている。最高は大勲位菊花章。瑞宝章は勲功プラス年功、旭日章は顕著な勲功ある男子、宝冠章は功労ある婦人、いずれも勲一等から八等まである。他に桐葉章、別途文化勲章がある。瑞宝章が普通。

父は、応召の陸軍一等兵で、最低ランクの勲八等瑞宝章。金鵄勲章（戦後廃止）は貰っていないから、戦場では大した手柄も立てなかったに違いない。ちなみに、永峯兵曹長は功五級金鵄勲章、勲七等青色桐葉章。しかし父の勲章は、父が国家の興亡のハザマに生きた何よりの証であろう。

「皇紀」と言えば、これはもうパブロフの犬。どうしても「八紘台」（平和台）とくる。八紘台つまり「八紘之基柱」は、「古事記」「日本書紀」により、神武天皇即位から数えて二千六百年に当たる昭和十五年に竣工。開戦の前年のことである。

八紘台は、高校を出るまで、われわれ仲間の文字通りの「青春のシンボル」であった。大島町は、戦後、ご禁制のヤミ焼酎作りが有名で、高三の頃、ドブロクを水枕に入れ、カライモ畠をホフクゼンシンして持ち帰り、八紘台で気炎を上げたりしたものだ。「軍艦マーチ」より「海ゆかば」の頻度が次第に高まってきて、昭和二十年三月には、東京大空襲で十万人が焼死。四月沖縄戦がはじまり、五月に入ると宮崎も赤江の特攻基地を目標に、Ｂ29や艦載機グラマンの来襲がほとんど連日となる。

父はその頃、病に倒れ、寝た切りの状態であったが、縁をつたって、綾の古屋という所に疎開することになり、梅雨の晴れ間の蒸し暑い日だった。父をリヤカーに乗せ、「八紘台」を振り返りながら、母と二人して六里の道を急いだ。

戦後、わがままだった父が亡くなる日、好物の刺身が食べたいと言い出し、あの時代のこと、とてもじゃない。母が走り廻ってやっと手に入れた。

父が息を引き取った時、四六時中震えていた右手が、いや左手だったか静止し、口の中には刺身が残っていた。

「でも」「しか」俳句

「俳句でもやってみるか」と思った。一昨年、東京にある会社の役を退き、かねてから決めていた通り帰郷することにして、さてこれからどうするか考えてみたが、これが意外と難しい。

同期入社の「いもがら会」というのがあって、ちょうど私が幹事をしていたので、四十周年記念と銘打ち文集を編んだ。四十八人のはずが二人物故している。私自身が書いた文章の中に、「会社人間廃業宣言」というカコミがあって曰く、

○すぐやる事　旧家の建て替え
○やりたい事　「新聞の新聞」をつくる
○やりたい楽しみ　ゴルフ、旅行、読書
○やりたくても恐らく駄目なもの　演歌の作詞

俳句のハの字もない。それでは俳句とはまったく無縁かというと実はそうでもない。学生時代、亡兄寛之（俳名　哲哉）の勧めで少しひねったことがある。伊丹三樹彦（現

俳誌青玄の主宰者、創始者は日野草城）の句会に連れて行かれ、青玄にも何回か投句して入選したこともある。兄は京都の私の下宿に青玄を送ってくれたり、ときに会うと自作を自慢して「オイお前、どう思うか」と紙に書いて渡してくれたりした。兄の話ではもうずっと前に亡くなった父もひねっていたと言うが、私は幼年のころとてまったく記憶がない。しかし、今になって思うと父は赤江の城ヶ崎の出だからあり得たことだと思う（俳人墓地がある）。

兄はその後サラリーマンの仕事と両立させ、青玄無鑑査同人となり、現代俳句協会幹事など務めたが、五十半ばで急逝した。未だに悔やまれてならない。私のほうはと言えば、高度経済成長下、ユケユケドンドンの産業戦士となり少し会社内の位も上がって行くにつれ実に見事な会社人間に仕上がった。兄が亡くなってからはほとんど俳句との縁も切れたかのような状況であった。

バブルとその崩壊があって、関係会社の再建の仕事を引き受けて私がまずやったことは、有楽町の一等地にあった本社を外神田に移転することであった。家賃が坪二万円もちがうとメリットは大きい。会社は「妻恋坂」の交差点にあったが、この演歌調の地名は古代、日本武尊の妃・弟橘媛の入水伝説に因む。ご存じ銭形平次の神田明神下と言ったほうが分かりやすいかもしれない。

「現代俳句協会」（会長金子兜太）が会社の隣のビルにあることを知ったのは離京直前のことであった。六年も隣組にいてウカツと言えばウカツ。あの広い東京で奇縁と言えば奇縁。そして協会の事務局長さんが何と津根元潮氏とのこと。氏は兄の青玄時代の親しい俳友で、兄の遺句集『時をなだめて』は氏に編んでいただいた。

「よう似てはりますね。弟さんも俳句どうですか」

「うーん」

そんなことがあって、四国の高松に最後の出張があり、新婚旅行で立ち寄ったことのある屋島を訪ねてみた。そこで「腹でたる人」のお遍路に出会った。屋島寺は八十四番の札所で結願まであといくつも残っていない。それにしては「腹でたる人」とは可笑しい。すーと句が出てきた。

山つつじ腹でたる人の遍路かな　　康之

退任後何回か上京の機会があり、ときに津根元氏を訪ねるうち、

「協会への入会要件が緩和されましたよ。地元支部の推薦さえあれば」

「何の実績もありませんが」と私。

「私も休俳していたことがありますよ」と有り難いお言葉。

金子兜太によると俳人には三種類あって、「業俳」は芭蕉のような専門の俳諧師、「遊俳」は家業を持っていて、ときに俳諧にこころを遊ばす人、「雑俳」は懸賞俳諧を楽しむ人とある。となると仕事もなく、「俳句でもやってみるか」というのは、定めし「でも俳」とでも言うのだろうか。戦後学校を出ても就職難で、「でも、しか先生」と揶揄された時期があった。

帰郷を機にぼつぼつ習作をはじめてみた。まずは初心者に帰ること、有季定型をできるだけ守ること、さらに写生に徹すること、この三原則を持することにした。絵画でいえばデッサンをしっかりしようと思った。年初からは「海程」（主宰者　金子兜太）に投句、自作が活字になるのはだれでもうれしいものだ。四月には同協会への加入が許され、おそるおそる吟行や句会に顔を出すようになった。「ははーこりゃーだいぶ塡って来つつあるな」と自分でも感じている。

折しも大分市で同協会の九州大会なるものがあり初参加。兜太大先生に親しくお目にかかり、「俳句は生命の養いである」との講演を聞くにつれ、「うん、結局俳句しかないか」と思うようになった。

兜太来てトラ河豚ガブリ毒づけり　　康之

花祭

わが家のさほど広くない床の間に、母の生花教授の看板が置いてある。長さ九十センチ、幅二十センチ、厚さ三センチの一枚板で黒光りしてなかなか貫禄がある。

華道家元池坊生花教授
秋月庵　鈴木芳風

と達筆で墨書された字の部分は浮き出て、かつて旧家の玄関先にかかっていた。この看板を目にすると、母の命日となった四月八日（日曜日）のことが頭をよぎる。

日曜日、あの日は雷が朝から風雨をともない、とても無理だと思っていた。子どもでも社宅から投票所のある小学校までは、そう、歩いて五分もかからない。しかし、母の体ではとても。

「今日はもう行かんでもいいが」

母は押し黙って何も言わない。朝飯にも手をつけない。

「お父さん、お祖母チャンがかわいそうよ。マイチャン（次女、当時中学生）に二、三日前から習って字の練習をしてたよ」高校に行く長女が抗議をして、そうかと思った。目と鼻の先だが、タクシーを呼んで家内ともども三人で乗り付けた。

体育館が投票所で、統一地方選挙はまず、県知事、県会議員が先にある。家内が隣から見ていたら、ちゃんと母は書いたそうだ。投票の秘密に反しはするが。雨があがり、しかし会場の外は桜の残り花を浮かべた水溜まりができていた。

母は宮崎で長年私の生家である家に一人で住んでいたが、昭和四十二年脳血栓に倒れ、宮崎の医者の反対を押して、タクシーで延岡に強引に連れてきた。そのまま入院させたが、延岡の医者もむつかしい容体だという。

完全看護といわれてはいたが、昼間は家内が付き添い、会社から帰って私が夜詰める生活が三月ほど続いた。もちろん下の世話もした。母の出の新富町の親戚にアチコチ連絡、お別れに来てもらい、内内葬式の準備をした。

ところが幸いにも病状が持ち直し、これ以上は自宅で療養したほうがよいということになった。社宅に引き取り、それから十二年間母はよく生きてくれたが、家内にその分苦労をかけることになった。

母の状態は、寝起き、食事、トイレ、風呂と何とか一人でやることができ、寝たきりというわけではなかった。

しかしすでに、痴呆が始まりそばにいて目は離せず、近所を徘徊したり、体の一部に麻痺もあったので何事につけ不自由だった。後日長女が、「一家揃って旅行に行った思い出が一度もない」と文句を言ったことがある。私か家内のどちらかが家にいる必要があった。

母が選挙にこだわったのは、何も国民としての崇高な義務を果たそうとしたわけではない。明治生まれで田舎に育った母は義理固い人だった。この時の知事選挙は複雑かつ激戦模様で、私も後から聞いたことだが、知事さんの奥さんが二度もお出になった。宮崎の実家は知事さんの私邸に近く、いわば隣組。隣組の誼からであったのだろう。

投票所の体育館を出ると、水溜まりに足をとられそうで、母を背負って待たしてあったタクシーまで歩き始めたら、ガクッと急に背中が重くなった。

母を背にしたのは、前に社宅の隣から火が出て、白煙に咽びつつ危うく脱出した時。それに、母にせつかれ「今山」のお大師さんにお参りに行った際、途中から母を背負って階段を登ったことがあったから、これで三回目ぐらいか。

何とか座席に横たえるといびきをかきだした。この種の病気はいびきは危険な兆候と聞いている。工場病院に直行した。休みの日だったが院長先生がおられ、診てもらったが、母は瞳孔が開きすでに事切れていた。

知事さんと、県会議員のほうは私の盟友が出馬していて、母が一生懸命練習した紙を今でも持っている。張りつめていた緊張がプッツリ切れて、脳の血管も同時に切れてしまったのだろうか。院長先生は何も手当をせず、失礼ながら「何かやってよ」と先生に食ってかかったことを覚えている。

投票に行かなくても、いずれそんなに長いことはなかったかと思う。長女がしばらく元気がなかった。人の運命とはそういうものなのだろう。母が私の背中で逝ってくれて、ある種の満足感さえある。お花の看板に「秋月庵」とあるのは、高鍋藩藩主秋月氏に因んだものと思われるが、法名には雅号である「芳風」の芳の一字を入れてもらった。

母の時代の人生は、皆苦労の連続で母のそれが特別であったわけではない。戦中、戦後を通じての父の長い看護、勤労奉仕、疎開、そして戦後の買い出しとほとんどを私も母と共有してきた。それだけに辛い別れだった。

四月八日、日曜日、花祭の日であった。

バラバラでいっしょ

葱坊主のようなタワーが京都駅の北面にできるとき、賛否両論がかまびすしかった。たしかに今でも古都の景観を損なっているような気がしないでもない。もっとも新しい京都駅の装いも冷たい。

その「京都タワー」にはじめて家内ともども昇ってみた。塔頂まで百三十一メートルあるそうだ。

「ああ、地図そっくりだな」と感心した。

京都の東西南北、碁盤の目の街づくりはじつに分かりやすくできている。ただ大阪や奈良方面の洛外は春霞がかかって見えない。

東山からずーと目を北に比叡山。西北に愛宕山、西に天下を分けた天王山か。

京都で四年間学生生活を送ったが何でもう少しアチコチ名所旧跡を訪ねておかなかったのか、クラス会に来る度に悔やまれてならない。

先ほど家内と一緒にお参りしてきたお東さんの広大な伽藍が真下にある。花祭が近いので御影堂門を入ると花御堂が置かれお釈迦さんが天上天下を指さしておられた。花祭の日は母の命日で、俳句をひねるようになって高浜虚子もその日であることを知った。

甘茶を家内と何回もお掛けしてちょっと舐めてみたら甘い味がした。

昨年母の二十三回忌を営むことにして驚いた。長い出稼ぎから三年前帰宮して、やっと生家に落ち着いたが、その間父や母の法事はお西さんでやってきている。戦後間もなくして亡くなった父のころからのお寺さんにお願いに行き、何気なくお聞きしたら、何と「当寺はお東さんです」とのこと。

どこでどう間違ったのか。まったくもって分からない。ご先祖さまに申し訳ないやら、ひょっとしたら罰が当たりそうで困った。

「まあ、しかし何でしょう。元はいっしょ。親鸞さん、法然さんということですね」

「まあ、そういうこってすな」

今年予定のクラス会のときには、きっとお東さんにお参りしようと心に誓って勝手に許してもらったことにした。

いい加減といえばいい加減、これほどの仏への冒瀆はない。もって非難されて仕方がないところである。外国人からも、日本人の宗教へのアイマイな態度がよく批判の対象となっている。

　しかし、昨年来のテロ騒動、それにおそらく関連している聖地パレスチナをめぐるユダヤ教とイスラム教の、果てしない今日の凄惨な原理主義の争いを見ていると、ちょっと待てよと考えさせられる。

　司馬遼太郎が何かの本で「宗教の本質はアニミズムである」と言ったことがある。つまり、山川草木あらゆるものに聖なるものが宿るというわけである。梅原猛は「神道と混合した土着の仏教が日本の宗教」と定義している。

　要するに日本の宗教は多神教。ユダヤ教、キリスト教、イスラム教は一神教だから、日本のほうがどうしてもルーズになる。一神教のほうは原理主義になりやすく、排他的になりがちである。もっとも、日本でもオウム真理教のテロがあったことは記憶に新しい。しかし、多神教のほうが一般に寛容であり、「人や地球にやさしくあるべき時代」にふさわしいように思う。

　家の宗旨を間違えておいて、己のいい加減さを弁解するような、はたまた正当化するような言説を弄し、いささか気が引けてならないが。

　まあ、そういうわけで今年のクラス会に合わせ大阪の孫見かたがた家内ともども東本願寺にお詫びの行脚となった次第。

「バラバラでいっしょ」

大きな横看板がお東さんの土塀に掛かっている。頂いたパンフにもそれぞれ同じスローガンが書いてある。それによると、平成十年の蓮如上人の五百回御遠忌に現代社会へ発信したとのこと。

なるほど昨今の社会で個性的であれとか、自己責任とか喧伝されている。またグローバル化が進む中で、人種、民族、宗教の違いから、あるいは国益や文明の衝突による紛争が激化しそうだし、地球環境の悪化も懸念される。人々が、人類がバラバラになる遠心力が強く働いてきている。

バラバラなのは事実で仕方がない。しかし、それで終わっては国家社会は解体していくだろうし、国際紛争やテロはなくならないだろう。さらには地球は破滅に向かうだろう。どうしたらよいのか。新世紀の最大の課題である。この「いっしょ」という連帯感、求心力をどうしたら持ちうるのか。政治とか経済とか制度とか機関などの国際協力もたしかに大切だが、案外日本の宗教観が普遍性を持ちうるのではないかと思う。

遺品

倉庫を整理していたら、焼け焦げた一冊の本が出てきた。綴も切れ、バラバラながら本文は何とか読める。タイトルは『日向路めぐり』、松山敏著、発行所は文華堂（小倉栄嗣）。二百ページ足らずの新書版で、定価七十銭とある。

定めし「宮崎観光ガイドブック」といった体裁で、神話伝説の国日向として、宮崎県内の名所・旧跡案内（白黒写真付）、産業と特産品、風習と方言、日向の新民謡、日向の人物・伝説の概要が記述され、これを読めば宮崎のことは一通り分かる内容になっていて便利である。

本の奥付には、昭和八年三月十七日第一版発行、次いで同九年、十年、十一年と版を重ねているので当時のベストセラーではなかったかと思われる。私は昭和九年生まれだが、七つ年上の兄が男子附属を出て旧制宮崎中学校入学前後の頃に買い求めたに違いない。

もうずいぶん昔のことだが、私の長屋社宅の隣から出火、その際、仏壇を除く家財道具、書籍類一切を焼失した。この本は幸運にも焼け残り新聞紙に包まれて、その後何回か引越しをする度に、どういうわけか捨てられずしぶとく生き残ったことになる。

裏表紙に書かれた兄の名を棒線で消して私の名があり、わざわざ大宮高等学校一年五十八号H・Rと記してある。H・Rとは「ホームルーム」(級)のこと。

つまり、戦後即宮崎工専を終え、当時大阪で就職していた兄から譲り受けた本であることを示していて、今となっては唯一の兄の遺品となってしまった。

父を早く亡くし、兄が学資を援助してくれたので今日の私があるのだが、その兄が五十半ばで急逝したことが悔やまれてならない。

「一度お前と宮崎でゴルフをやりたいな」

「暇になったら、家のルーツ探しをやるからお前も手伝え」

とも兄は言っていた。

若い頃から傾倒した俳句も存命ならばだいぶいいところまで来ていたことだろう。東京に移り独立してはじめた事業と俳句が結局両立できず体を壊してしまった。「時をなだめて」と題する兄の遺句集に、兄が死んだ時、東京の学校に通っていた私の長女が寄せた短歌が残っている。

幼い日父と間違え飛び付いた
　私の頭を優しく撫でし
故郷へ帰りたいとの口癖は
　骨となりても叶わぬ想い

『日向路めぐり』には広告が出ていて、日米商会、日州無尽、金丸酒店、中村園芸場、割烹紫明館、等々。中でも宮交さんの前身の宮崎バス株式会社の広告は現在の宮交さんのそれと比較してみると面白い。

まずキャッチフレーズ、

「祖国詣りの日向路の旅！　遊覧バスが一番御便利で御座います」

「三百六十五日　花と香りのある宮崎　定期観光バスご案内」

次にコースは一巡遊覧（宮崎神宮、生日神社、青島、鵜戸神宮）と一部遊覧（青島、鵜戸神宮）の二コースあって現在の「日南海岸A」（平和台公園、宮崎神宮、こどものくに、青島、鵜戸神宮、サボテンハーブ園）と「日南海岸B」（こどものくに、青島、鵜戸神宮、サボテンハーブ園）が対応している。

料金は一巡遊覧がお一人様二円七十銭、日南海岸Aが四千円。ちょっと物価の比較は難しい。

観光宮崎といえば「大地に絵を描いた」岩切章太郎さんを抜きにしては語れない。検索すると岩切さんは、昭和六年全国初の「婦人案内人付」遊覧バスを開始、サボテン公園は昭和十二年、同十四年にはこどものくにを開設している。「日向路めぐり」の出版もこうした観光への人々の関心の盛り上がりが背景にあってのことだろう。また、日南海岸は昭和三十年に国定公園に指定されたが、これは岩切さんの先見性と情熱の賜物と言える。「八紘之基柱」（平和台）は紀元二千六百年の昭和十五年の竣工。ちなみにシーガイアは平成五年にオープンしている。

七十年経って、アクセスも鉄道、飛行機、カーフェリーと多様化したが、観光のポイントがそれほど変わっていないと見るか、いやガンバッチョルと評価するか難しいところ。兄とは年の差もあって、ほとんど青春を同じくしたことはない。しかし、夏休みになるとよく兄に連れられて、汗臭い満員の軽便に乗っかりガッタンゴットンと、青島の海水浴に行ったことがつい昨日のように思える。

昨秋、健在の嫂を「日南海岸B」のコースに招待、シーガイアの四十五階で食事と宮崎の夜景を楽しんでもらった。

渾沌と私

ふと田中書店で『幻の町』が目にとまり、サブタイトルの――昭和一ケタ時代の宮崎――に惹かれて目次をめくると「ウンこれは」と思った。タイトルだけでは恐らく手にしなかったと思う。

父の出自は城ヶ崎だが、戦前に朝鮮の木浦から引き揚げて来て丸山町に居を構えた。そこが私の生家となった。だから一気に読んだ。

本に挟んであるハガキに感想を書いて出したら、鉱脈社さんを経て著者の荒武直文先生から親しくおハガキを頂いた。

投稿誌「渾沌」の存在はこうして知った。早速雑誌を買い求めたが、須河信子さん、三上謙一郎さん、谷口二郎さんの名もある。三年前に帰郷してから、「みやざきエッセイスト・クラブ」でお近づきになったばかりの方々である。アトから俳句の「流域」でお世話になる木浦出身の徳永義子さんはそのときはまだ知らない。

「代表の山下道也。ウ、どこかで見たな」今は亡き兄の友人の大山史郎さんから、前に頂いていた旧制宮中の同窓誌「雑草の如く」に名前があった。
投稿文のタイトルは以下次の通りである。

「カラス」……………………四十四号
「父の勲章」…………………四十五号
「でも」「しか」俳句………四十六号
「花祭」………………………四十七号
「バラバラでいっしょ」……四十八号
「遺品」………………………四十九号

本稿を含めて五十分の七ほどのお付き合いで終わることになる。「読者からのハガキ」では最後のものは別として五篇とも三票以上を頂戴。これからと言うときにである。山下さんどうしてくれますか。いささか事業経営に携わってきたので、雑誌の経営の厳しさはよく分かる。しかし、この度の終刊の決断はそんなことではないように思う。山下さんの「終刊の弁」を読んではみたが。

父のこと、母のこと、兄のこと一通り書かせていただいた。自分史と言うより「家史」である。他人にとってはそれこそ葬式饅頭、面白くも可笑しくもないかもしれない。お礼を申し上げたい。

大岡信の『折々のうた』を読んでいて次のような短歌に出会った。

ひとつの死は
その死者の中に棲まひゐし
幾人の死者を
とはに死なしむ

稲葉京子

さてこれからどうするか。

読売新聞が最近実施した日本人の「人生観」に関する世論調査の結果がある。「日本の将来は暗い」と考えている人が六割に達しているにも拘わらず、「気持ちのハリ、生きがい」を感じている人が七五パーセントと四人中三人を占めている。そして日本国民であることを誇りに思う人が八割を超える。

日本人もまだ捨てたものではないのだ。

四十三歳の田中耕一さんのノーベル化学賞受賞ほど爽快でかつ元気づけられたことを近年他に知らない。

昨今中国の経済力（軍事力も）の発展は目を見張るものがある。しかし、名目GDPを現在の日本並みの五百三十六兆円余にするには毎年一〇パーセント近い高度経済成長を続けても、これから十年余りはかかる。それでも、人口は日本の約十倍だから一人当たりでは十分の一のレベルである（その時の地球の資源と環境はどうなっているのだろうか）。

バブルが崩壊して事業経営のリストラに悩んでいたころ、オルテガを知った。

「私とは私と私の環境である。つまり、われわれの生は、自分の意志だけで作りあげられるものでも、また環境によってすべてが支配されているものでもない。それは、自らが周囲の環境に働きかけながら作りあげて行くドラマである。すなわち、われわれの生は、可能性の総体の中に投げ込まれており、われわれは、そのなかでつねに選択・決断を迫られながら自らの生を作って行くのである」

なんともカッコイイ言葉である。

しかし、この言葉にどれだけ勇気づけられたことか。「渾沌」がこれからも継続するならば、いや終刊になっても「物書き」のチャンスがあれば、「気持ちのハリ、生きがい」に資するような文章を磨いていければと思っている。

◇オルテガ（一八六五〜一九〇四）ホセ・オルテガ・イ・ガセット。スペインの首府マドリッドに生まれる。哲学者「大衆の反逆」など著書多数「生の哲学」といわれる。

「混沌」の会

ビジネスマンをしていた頃には、こんな新年会に出てみる機会もなければ、またあったとしてもそのつもりになることは、まずなかったに違いない。

自称「座長」を名乗る人から誘いの電話があって、あっさり出席することにした。「座長」は季刊の投稿誌・「渾沌」を主宰していて、近くその五十号をもって終刊を予定している。私も何回か投稿、掲載されてヤクザじゃないが「一宿一飯」の義理はあった。また終刊後どうなるのかとの期待もある。

テーブルを囲んで最後の晩餐よろしく席につくと、老若男女二十数人のメンバーの中で私ひとりが新顔であることにすぐ気がついた。

高校の先輩にあたる現役の大学教授を除き知人もいない。教授はまた私が所属している「みやざきエッセイスト・クラブ」の会長でもある。「座長」とは昵懇の間柄とみえて本日の主賓格。

「あんた、いつからここに顔出しちょっとね」

「はじめてですが」

勤めていた会社のOBの先輩が、

「退職して声が掛かったら、拒絶反応をせず受けなさい。気に入らなきゃいつでも止めれば済むこと」

と言っていた。この先輩は経営コンサルタントをやりながら、地域の合唱団やテニスクラブ、はたまた区長を引き受けるなど生き生きと活動している。

オードブルを摘んで、銘酒「久保田」や新発売の高級焼酎「マヤンの呟き」などたしなむ。気をつかってか、となりの主婦らしき人が「エッセイを書こうと思うんですが、恐くて。太宰治が好きでして……」としきりに話しかけて来てホッとした。一人ひとり自己紹介されても顔は識別できるが、名前はそんなにすぐ憶えられるものではない。

会の進行を仕切って大きな声でズバズバ発言するご婦人は、体格もよく和田アキコ風のゴッドマザーそっくり。どんな境遇の人なんだろう。

「あの方を私は好きでして、はっきり物を仰ってますが心は温かいひとです」

ととなりの主婦。

元大学教授という人が長々と話をはじめたら、元高校教師だったという人が酔ったのか何やらわめいてチャチャを入れ出した。元教授がムッとしてにらんでいる。長髪の郷土出版社の社長は従業員五十人を抱える実業家。地方での成功は珍しく立派。学校を出て大新聞社に就職、「初任地が宮崎支局で、すっかり宮崎の風土と人情に惚れこんでそのまま留まった」と述懐。

右手の席では鼻ひげの画家らしき人が向かいの女の人とEメールのことでもめている。聞いていて何が原因かさっぱり分からない。それでいていわゆる喧嘩でもなさそうだ。

少し遅れて来た綾町の故前町長の娘さんはきれいな人で、どうも女性のほうの主賓格のようだ。わが国最大の面積を誇る「綾の照葉樹林」は父上の町長さんが国の伐採計画に抗して立ち上がった結果残され、ただ今「世界遺産」にとの運動が起こっている。署名活動はこのほど県外を含み十万人を超えたそうな。

「九電の送電線はほんとうに景観を損なうのですか」

「ほんとうにそうです」

どうも意味のない質問をしたなと反省した。

「座長」が突然大声をあげた。

「この人をこんどの知事選に出そうや」

なるほど三人が立候補を表明しているが、いずれも代わり映えしない。二人の知事で四十年も続いた土地柄である。土地柄に加えて、昔労組の専従で全県一区の選挙に関係したことがあるが、とてもじゃない宮崎県も広い。「座長の気持ちはわかるが」と思った。

まことに「混沌」とした会であった。「混沌」と「渾沌」とはどうちがうの。「座長」をキー局にして実に多彩な人々の集まりであることは分かった、それで、この会の目的、趣旨など詮索するのはヤボというもんだろう。さきのOBの先輩じゃないが、あまりむつかしく考えると世間を狭くする。漱石の『草枕』の書き出しを思い出した。

この会は城ヶ崎にある「座長」の別宅で開かれている。実はこの地は私の父の出自でもある。その父が私の幼時に話してくれた「闇汁」のことはしっかり憶えている。今の県庁前の道をはさんで南側に公会堂が戦後まであったが、日露戦争に従軍した父の若いころは薄が原で、よく大淀川を渡って仲間が食物を持ち寄り、ナベに入れて煮、明かりを消して食べ興じたそうな。

「座長」が、

「今晩はどうでした」

「いやあ、オモシロカッタですよ」

「闇汁」の味がしたと思った。

【初出一覧】

［みやざきエッセイスト・クラブ］

「ドンゲナットジャロカイ」　作品集5　案山子のコーラス（2000年）　鉱脈社刊
分かっちゃいるけど止められない　作品集6　風のシルエット（2001年）　鉱脈社刊
瑠璃子　作品集7　月夜のマント（2002年）　鉱脈社刊
阿弥陀堂だより　作品集8　時のうつし絵（2003年）　鉱脈社刊
こっくりさん　作品集8　時のうつし絵（2003年）　鉱脈社刊
故郷恋々　作品集9　夢のかたち（2004年）　鉱脈社刊
デモ・シカ俳句紀行　作品集10　河童のくしゃみ（2005年）　鉱脈社刊
ごっつい指　作品集11　アンパンの唄（2006年）　鉱脈社刊
牧水とビール　作品集12　クレオパトラの涙（2007年）　鉱脈社刊
運がよけりゃ　作品集12　クレオパトラの涙（2007年）　鉱脈社刊
北国の春　作品集13　カタツムリのおみまい（2008年）　鉱脈社刊
夕映えの赤江川　作品集14　エッセイの神様（2009年）　鉱脈社刊
線路であそぼー！　作品集15　さよならは云わない（2010年）　鉱脈社刊
デジャービュ　作品集16　フェニックスよ永遠に（2011年）　鉱脈社刊

昨日、今日、そして明日　作品集17　雲の上の散歩（2012年）　鉱脈社刊
私の愛したコンビニ　作品集18　真夏の夜に見る夢は（2013年）　鉱脈社刊
蛍の光窓の雪　作品集19　心のメモ帳（2014年）　鉱脈社刊
さいたま俳句紀行　作品集20　夢のカケ・ラ（2015年）　鉱脈社刊
蓼食う虫　作品集21　ひなたの国（2016年）　鉱脈社刊
マイウェイ――俳句の道のり――　作品集22　見果てぬ夢（2017年）　鉱脈社刊
いのちの養い　作品集23　魔術師の涙（2018年）　鉱脈社刊
壮心已まず　作品集24　フィナーレはこの花で（2019年）　鉱脈社刊

今日の秋　会報1（2014年）　イスラム国　会報2（2015年）　玉音放送　会報3（2015年）
雛山まつり　会報4（2016年）　工夫が足りぬ　会報5（2016年）　吉祥寺　会報6（2017年）
地球儀　会報7（2018年）

［投稿誌　渾沌］

カラス　44号（2001年）　父の勲章　45号（2001年）
「でも」「しか」俳句　46号（2002年）　花祭　47号（2002年）
バラバラでいっしょ　48号（2002年）　遺品　49号（2002年）
渾沌と私　50号（2003年）　「混沌」の会　50号（2003年）

あとがき

私は平成十二年、みやざきエッセイスト・クラブに入会、作品集5・『案山子のコーラス』で第一作を書いて以来、昨年の作品集24・『フィナーレはこの花で』でちょうど二十本になりました。また、投稿誌・「渾沌」（代表・山下道也）には平成十三年初投稿して以来平成十五年三月、終刊の50号に至るまで七本ほど書きました。この度本づくりを思い立ったのは、率直に言って今様の「終活」の一つと言っていいでしょう。

みやざきエッセイスト・クラブの入会に際しては、大宮高校の大先輩である会長の渡辺綱纜さんにお願いしたのですが、私が生粋の会社人間であったことから「何か書いたものを持って来い」とのことで、エッセイなど書いたこともなく、確か会社時代の「レポート」を何通か見てもらいました。

私がこの本のタイトルを「故郷恋恋」としたのは、先に上梓した時事コラム・『芋幹木刀』（日本インターネット新聞掲載）でもそうでしたが、「宮崎からの発信」にこだわってきたからです。わが生涯の一大事といえば、これはもう何といってもあの戦争、戦後の少年時代の体験ですが、成長して旭化成に入社、どういうわけか二十七年間も延岡勤務であったことも預かっているように思います。

趣味の俳句の話が多いのは、故金子兜太師に私淑したことによります。俳句だけでなく師の凄まじい生き様に圧倒されました。また、この人ほど、おらが産土・秩父をこよなく愛した人を知りません。

さて、これからのわが産土・故郷です。宮崎県は生活に幸せを感じるかを示す「幸福度」は都道府県で日本一だそうです（ブランド総合研究所・東京都）。また、「愛着度」では四位、定住意欲度では十位、と明るい結果が続く一方で、「社会の課題の多さ」と「満足度」ではともに二十二位、日々の生活での「悩みの多さ」は九州で最も高い八位となっています。

さりながら、世の中戦後七十五年の自由にして豊かで平和な時代が終わろうとしています。わが国の当面する課題は、一段と国際化が進む中で、少子高齢化（人口減少）、財政破綻の危機、安全保障、地球環境問題ですが、故郷の高い幸福度をいかに維持するかは難題です。

本書の編集に当たり、長年の友人である三好正二さんに序文を頂戴、画家で朋友の島田宏祐さんには装画でお世話になりました。また鉱脈社の小崎美和さんには何かとお手数をお掛けしました。厚く御礼申し上げます。
私たちの会社人生は、結構波乱に満ちていました。わが国の高度経済成長から二度のオイルショックを経てバブルの崩壊に至る「疾風動乱」の時代を懸命に生きてきました。この機会に、長い間家庭を守り、連れ添ってくれた妻由喜子に感謝の念を表しておきたいと思います。

老いの春ムカシてふむし飼うてをり

令和二年・ＮＨＫ全国俳句大会入選作品

令和二年二月吉日

鈴木康之

[著者略歴]

鈴木 康之

(すずき やすし)

昭和9年8月7日生まれ、宮崎市丸山町出身。昭和22年宮崎市立第六国民学校卒業、昭和25年宮崎市立西中学校卒業（第1回）、昭和28年宮崎県立大宮高等学校卒業（第5回）、昭和33年京都大学法学部卒業。同年旭化成工業株式会社入社・ダイナマイト部（現東海工場）配属。昭和34年同工場単組専従書記長、昭和36年旭化成労連生産対策部長、昭和38年同労連教宣部長、昭和40年同労連書記長。昭和42年会社復職、昭和43年旭化成サービス第2営業部長、昭和46年延岡支社事務部総務課長、昭和48年旭化成宮崎総支社日向事務所長。昭和50年延岡支社勤労部次長・部長、昭和55年同支社次長。昭和60年旭化成東京本社化学品第2事業部次長・部長。昭和62年旭サカイ代表取締役社長。平成5年新日本化学代表取締役社長（日本塩工業会副会長に就任、会長・後藤田正晴）。平成7年同社を新日本ソルトに改組。平成11年同社会長を退任、旭化成退社、帰郷。

現代俳句協会会員。俳誌「海程」（主宰 金子兜太）同人→「海原」、宮崎県俳句協会会員、宮崎俳句研究会会員（俳誌「流域」同人）。みやざきエッセイスト・クラブ会員。平成28年・宮崎市芸術文化功労章受章。

著　書　『デモ・シカ俳句－金子兜太選』（平成17年 河野印刷）
『時事コラム・芋幹木刀』（平成22年 河野印刷）

現住所　〒880-0052　宮崎市丸山2丁目143
☎0985-27-8032 (FAX兼用)

エッセイ集　故郷恋恋

二〇二〇年二月十四日印刷
二〇二〇年三月　四　日発行

著　者　鈴木　康之©

発行者　川口　敦己

発行所　鉱　脈　社

〒八八〇－八五五一
宮崎市田代町二六三番地
電話　〇九八五－二五－一七五八
郵便振替　〇二〇七〇－七－二三六七

印刷
製本　有限会社　鉱　脈　社

発掘・継承・創造 ―《いのち》をうけ継ぎ・育み・うけ渡そう ―